최강의
배당연금
투자

잠든 사이 돈이 불어나는 평생 복리의 마법

최강의 배당연금 투자

배당연금술사
지음

헤리티지북스

현금흐름이 죽을 때까지 이어질 것이란 자신이 없다면 우리 미래는 언제나 불안할 것이다. 한 살이라도 젊을 때 노후 대비를 시작하라. 이 책의 저자인 배당연금술사는 이미 배당연금 투자로 평생에 걸쳐 들어올 현금을 쌓아가고 있는 똑똑한 투자자다. 누구나 쉽게 안정적인 파이프라인을 구축할 수 있도록 배당연금 관점의 마인드셋부터 목표 설정, 포트폴리오 구성, 투자 전략까지 자신의 투자 과정과 노하우를 전부 공개한다. 배당연금에 관심은 있지만 어떻게 시작해야 할지 몰라 망설였다면, 시간과의 싸움에서 이기는 투자법을 알고 싶다면 이 책을 권한다.

웅달, 유튜브 〈웅달 책방〉 운영자

배당연금술사라는 이름에 걸맞게 배당으로 연금을 만드는 마법 같은 이야기가 담긴 책이다. 오래 그리고 꾸준히 투자를 이어가면 확실한 수익을 기대할 수 있다. 그만큼 안전하다는 의미다. 복리로 늘어나는 배당연금의 매력을 직접 느껴보라. "평생 모아가기 그리고 평생 보유하기." 배당연금술사가 제안하는 이 원칙과 전략을 충실히 따르며 평생 자산을 만들어나가길 바란다.

임수열, 유튜브 〈815머니톡〉 운영자

목차

1부 GOAL
월급 독립의 시작

2부 BUILD UP
배당 성장 포트폴리오 구성하기

4부 ADDITION
배당연금에 레버리지를 더하다

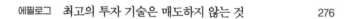

복리로 커지는 배당연금,
평생 행복의 첫걸음

　주식 투자로 1억 원을 만들려면 모두가 좋다고 추천하는 종목에 2억 원을 투자하라는 우스갯소리가 있습니다. 자산을 빠르게 불려 준다는 방법은 투자자의 과욕이 만들어낸 허상일 뿐입니다. 절대로 현혹되지 마십시오. 쉽고 빠르게 돈을 벌 수 있는 투자법은 애초에 존재하지 않습니다. 만에 하나 존재하더라도 그 정보가 개인 투자자에게 공유될 때쯤이면 이미 정보로서의 가치를 잃었을 겁니다. 투자의 세계에서 정보란 널리 퍼지면 퍼질수록 그 가치가 떨어지기 마련입니다. 많은 주식 투자자가 자신의 투자 전략이나 가치 있는 정보를 타인에게 상세히 공개하기를 꺼리는 이유가 바로 이 때문입니다.

　그런데도 저는 제가 알고 있는 모든 정보를 흔쾌히 내놓으려고 합니다. 이 책에서 소개하는 투자 전략은 많은 이들이 알아도 전혀 문제되지 않기 때문이죠. 실행할 수 있는 사람은 단 10퍼센트도 채 되지 않을 겁니다. 이토록 확신하는 이유는 빠르게 성과를 내고 싶은 본능을 완전히 거슬러야 행할 수 있는 투자법이기 때문입니다. 그리고 본능을 억누를 수 있는 투자자는 시대를 불문하고 늘 극소수입니다.

저의 투자 핵심 키워드는 '현금흐름 창출'입니다. 이는 출간된 지 20년이 넘었지만 여전히 사랑받고 있는 《부자 아빠 가난한 아빠》에서 로버트 기요사키Robert Kiyosaki가 역설하고 있는 바와 일맥상통합니다. 여기에서 우리가 기억해야 할 교훈은 2가지입니다.

① 현금흐름 창출은 유행을 타지 않는 투자 전략이다.
② 현금흐름 창출의 중요성에 공감한 사람은 많지만 정작 실행에 옮긴 사람은 적다.

제 목표는 은퇴 전까지 월급보다 강력한 현금흐름을 만드는 겁니다. 바로 '배당연금'을 통해서 말이죠. 배당연금은 단 한 번 받고 끝나는 퇴직금과 차원이 다릅니다. 한 번 흐름을 만들어놓으면 안정적인 현금이 평생에 걸쳐 흘러들어옵니다. 명심하세요. 이제부터는 투자 기간을 단축하려고 안간힘을 쓰지 마십시오. 더 빨리 성취하고 싶은 욕구를 잠재우십시오. 배당연금으로 현금흐름을 만들기 위해서는 다른 관점을 장착할 필요가 있습니다. 먼저 투자 효율에 대한 생각을 완전히 뒤집어야 합니다. 시간을 단축하는 것이 효율적이라고 대부분 생각하지만, 배당연금을 만들 때는 오히려 비효율적입니다. 배당연금은 시간을 충분히 활용할수록 빛을 발하는 투자법이라는 사실을 기억하십시오. 이 책에서 이에 대한 구체적인 방법과 투자자의 본능을 이겨내기 위한 해결책까지 차분히 안내하겠습니다.

저는 〈배당연금술사〉라는 유튜브 채널을 운영하고 있습니다. 그곳에서 배당으로 연금을 만드는 방법과 저의 투자 과정을 상세히 공개하고 있죠. 보통은 전업 유튜버거나 전업 투자자일 테지만, 제 본업은 따로 있습니다. 바로 중·고등학교 수학 교사입니다. 투자 전문가도 아닌 제가 투자에 관한 책을 쓰기로 마음먹은 이유는 단 하나입니다. 개인 투자자가 정말로 알고 싶은 이야기, 반드시 알아야 하는 정보를 전하고 싶었기 때문입니다.

사실 저는 수학능력시험에서 수학 영역을 망치고 '세상에서 수학이 제일 싫다'라는 생각까지 했던 사람입니다. 그런 제가 청개구리처럼 수학교육과에 원서를 제출했습니다. 무척 황당한 전개죠? 대부분의 수학 교사는 학창 시절 수학을 좋아했거나 잘했던 사람이며, 수학 때문에 꿈이 좌절된 적도 거의 없었을 겁니다. 그러나 수학을 잘하는 것과 수학을 잘 가르치는 건 별개의 문제입니다. 수학이 어려운 학생들에게는 '수학을 잘하는 교사'보다 '그들의 마음을 이해하고 그 눈높이에서 알려줄 수 있는 교사'가 필요하리라는 확신이 들었습니다. 그 덕분에 저는 학생들에게 해줄 수 있는 이야기가 정말 많은 교사가 됐습니다. 이 책을 쓰는 의도도 비슷합니다. 뛰어난 투자 전문가가 쓴 좋은 책은 수도 없이 많습니다. 하지만 개인 투자자 입장에서 가려운 부분을 긁어주는 친절한 책은 찾아보기 어려웠죠. 비록 저는 정보를 얻기 위해 고군분투 했지만 당신은 그러지 않으면 하는 마음으로 이 책을 썼습니다.

교육이나 투자나 마찬가지입니다. 저의 궁극적인 목표는 당신의 성장입니다. 성과보다 성장이 훨씬 중요합니다. 성과는 성장하면 자연스럽게 따라옵니다. 또한 공부를 누군가 대신 해줄 수 없듯, 투자도 누군가가 대신 떠먹여줄 수 없습니다. 다만 당신과 함께 공부하고 성장하는 투자자로서 무엇을 먹을지, 어떻게 요리조리 조합해 먹을지 스스로 결정할 수 있도록 도와드리겠습니다. 교육 분야의 전문성을 살려 어렵고 막연하게 느낄 법한 내용도 누구나 이해하기 쉽게 알려드리겠습니다. 배당연금 투자에 관심은 있지만 어떻게 시작해야 할지 몰라 망설였던 분에게는 한 권의 배당연금 투자 교과서가 되길, 이미 배당연금 투자를 하고 있는 분에게는 바른길로 가고 있다는 확신을 안겨줄 수 있길 바랍니다.

주식시장에는 예상치 못한 위기가 끊임없이 찾아옵니다. 위기와 위기 극복의 역사라고 해도 과언이 아니죠. 그 가운데 평범한 개인 투자자가 꾸준히 수익을 낼 수 있는 확실한 방법은 오로지 배당연금 투자뿐입니다. 적금처럼 모아가는 재미를 느낄 수 있는 건전한 투자법이며, 남녀노소 구분 없이 온 가족이 할 수 있는 평생 투자법이기도 합니다. 그 예는 가까이에 있습니다. 저 역시 부모님, 아내, 동생과 함께 공동의 목표로 나아가고 있습니다. 사랑하는 사람들과 미래를 그리는 과정은 투자 성과 못지않은 큰 행복이라고 생각합니다. 지금부터 시작입니다. 당신의 부와 행복이 눈앞에 놓여 있습니다. 그 길로 찬찬히 걸어 들어가십시오.

1부

GOAL

월급 독립의
시작

돈 걱정 없는 평생 자산 만들기

먼저 시작하고 늦게 끝낼수록 유리한 게임

제 주변 은퇴자들은 한결같이 마음이 편안해보였습니다. 근로소득이 끊긴다는 불안은 전혀 찾아볼 수 없었죠. 젊었을 때 큰돈을 벌어놓아야 안정적인 노후를 보낼 수 있다고 생각하기 쉽습니다. 하지만 제가 본 여유로운 은퇴자들은 모두 능력 있는 사업가도 재력가도 아니었습니다. 지극히 평범한 사람들이었습니다.

"이제는 친구들이 나를 부러워하더라고!"

퇴직을 앞둔 한 선배의 말입니다. 아내와 세계여행을 다니면서 남은 인생을 즐기겠다는 계획을 이야기하는 얼굴에서는 은퇴에 대한 걱정과 아쉬움이 조금도 느껴지지 않았습니다. '친구들이 나를 부러워하더라'는 말 앞에 '이제는'이라는 표현이 붙은 이유는 짐작건대 직장을 다닐 당시에는 그다지 부러움을 받을 만한 대상이 아니었다는 의미일 겁니다. 상황을 역전시킨 건 다름 아닌 연금입니다.

제 주변 은퇴자들은 교직 생활을 마치고 매월 공무원연금을 받고 있습니다. 부부가 함께 공무원연금을 받고 있는 분도 있는데, 그분은 다른 사람들보다도 한층 더 여유로워 보였습니다. 물론 공무원연금이 근로소득을 능가할 정도로 많은 것은 아닙니다. 하지만 은퇴 후 평생 보장되는 안정적인 수익이라는 점에서 상당한 의미를 지닙니다. 100세 인생이라 가정했을 때, 일하지 않고도 꼬박꼬박 연금을 받으면서 인생을 즐길 기간이 40년이나 남아 있다는 것이니 말입니다.

공무원연금 덕을 보고 있는 선배들을 가까이에서 볼 수 있었던 건 행운과도 같은 일이었습니다. 직접 경험해보지 않고도 연금의 위력을 느껴볼 수 있었으니까요. 월급에 버금가는 연금을 만든 사람은 시간의 자유를 얻을 수 있고, 시간의 자유를 얻은 사람은 부와 행복을 누릴 수 있다는 점도 알게 됐습니다. 끊임없는 현금흐름을 가진 사람이 엄청나게 큰돈을 거머쥔 사람보다 삶의 만족도가 더 높을 수 있다는 사실을 자연스레 깨닫게 된 것이죠. 여기서 우리는 '공무원연금이 만들어지는 과정'에 관심을 가질 필요가 있습니다.

이보다 더 강력한 현금흐름을 만들어낼 수 있는 중요한 힌트가 숨어 있기 때문입니다.

모든 공무원은 월급의 9퍼센트(연금법 개정에 따라 변동)를 연금으로 모아갑니다. 월급에서 자동 공제되기 때문에 공무원에게 연금은 선택이 아닌 필수입니다. 생활비가 부족한 달에도 예외는 없습니다. 본인 의사와 관계없이 미래를 위한 준비가 지출 1순위가 됩니다. 월급에서 자동으로 빠져나간 돈은 공무원연금공단의 투자금으로 활용됩니다. 본인이 원하든 원치 않든 월급의 9퍼센트는 계속해서 투자로 이어진다는 뜻입니다. 첫 월급을 받는 순간부터 마지막 월급을 받는 순간까지 무려 30년이 넘는 긴 시간 동안 투자에 참여하는 것이죠.

공무원연금은 말 그대로 '초장기 월 적립식 펀드의 성과'라고 할 수 있습니다. 월급의 10퍼센트 정도를 적립식으로 30년 이상 꾸준히 투자하면 40년 이상 일하지 않아도 될 만큼의 강력한 현금흐름을 만들 수 있죠. 돈을 우직하게 모으는 것만으로는 부족합니다. 핵심은 장기 투자입니다. 물론 월급의 10퍼센트가량을 30년 이상 꾸준히 투자하는 건 생각만큼 쉬운 일이 아닙니다. 투자를 잠시 미뤄야 할 이유는 매 순간 생기기 때문이죠. 20대에는 월급이 적어서, 30대에는 결혼 준비로, 40~50대에는 자녀 교육과 뒷바라지 때문에 투자가 뒷전이 되곤 합니다. 확실하게 알아야 할 건 미래를 위한 투자를 차선으로 두는 날이 늘수록 훗날 일터에서 버텨야 하는 시간은 필연적으로 길어질 것이라는 겁니다.

배당연금 만들기의 제1원칙은 아무리 어려운 상황에서도 투자를 최우선으로 삼아야 한다는 겁니다. 바로 이것을 설명하기 위해 공무원연금을 예로 소개했습니다. '투자는 생활하고 남은 돈으로 한다'는 생각이 만연합니다. 하지만 공무원연금처럼 안정적인 현금흐름을 만들려면 지출의 우선순위를 바꿔야 합니다. 계획한 만큼 투자하고 나머지 돈으로 절약하며 생활하는 것에 조금씩 익숙해져야 합니다. 은퇴 후 40년 이상 주어지는 긴 삶을 내 뜻대로 자유로이 살아가기 위해 하루라도 빨리 마음을 다잡아야 합니다.

투자 기간에 대한 고정관념도 뒤집어야 합니다. 제가 장기적인 배당연금 투자 계획을 말하면 그 기간이 너무 길다며 실망하는 사람들이 대부분입니다. 투자 기간을 줄이면서 리스크를 높일 것인지, 아니면 시간을 충분히 활용하면서 성공 가능성을 높일 것인지는 각자의 선택에 달려 있습니다. 단, 공무원연금은 30년이 넘는 긴 시간을 토대로 만들어진다는 사실을 기억해야 합니다. 짧게 투자하고 짧게 누릴 건가요? 길게 투자하고 길게 누릴 건가요? 저는 평생 투자하고 평생 누릴 생각입니다. 복리의 마법을 무한히 활용하며 끝없이 연금을 늘려나갈 겁니다.

먼저 은퇴한 한 선배 교사는 제게 공무원연금만으로도 노후 준비는 충분하니 투자에 관심을 가질 필요가 없다고 했습니다. 조언은 감사했지만 저는 더욱더 투자 공부에 매진했습니다. 공적연금(국가가 운영 주체인 연금) 고갈로 인해 선배와 같이 안정적인 노후를 보장받지 못할 가능성이 커졌기 때문이죠. 이는 저를 포함한 2040 세대 모두에게 해당하는 이야기입니다. 안타까운 상황이지만 아쉬워한다고 해서 달라지는 건 아무것도 없습니다. 문제를 적극적으로 해결해나가는 데 방해만 될 뿐이죠. 저는 오히려 다행이라 생각했습니다. 미래에 대한 불안을 전혀 느끼지 못했다면 '공무원연금 최고!'라고 외치며 월급 노예로 더 오랫동안 일터에 남을 수 있길 희망했을 테니까요.

공적연금에 대한 믿음이 흔들리면서 저는 이를 대체할 만한 투자법을 찾기 위해 쉴 새 없이 공부했습니다. 그 결과 기업의 배당금을 통해 연금과 같은 안정적인 현금흐름을 구축하는 것, 즉 '배당연금'이라는 새로운 개념에 주목하게 됐습니다. 여러 시행착오 끝에 배당연금 투자의 해답을 찾았습니다.

배당연금도 공무원연금과 같이 미루지 않고 긴 시간을 활용하는 것이 무엇보다 중요합니다. 이미 늦었다고요? 조급해하지 마십시오. 지금 시작해도 충분히 목표 지점에 도달할 수 있습니다. 먼저 시작하고 늦게 끝내는 사람이 더 많은 수익을 얻게 되는 정말 단순한 게임입니다. 자신감을 가져도 좋습니다. 의지를 다지고 이 책을

집어든 순간부터 당신의 배당연금 만들기는 이미 순조롭게 시작된 겁니다.

공적연금을 믿기 어려워진 2040세대

언제 터질지 모르는 국민연금(공적연금) 폭탄 돌리기는 이미 오래전에 시작됐습니다. 우리가 배당연금에 관심을 가져야 하는 가장 큰 이유입니다. 믿고 싶지 않겠지만 꼭 알아야 하는 우울한 이야기를 시작해보죠.

2020년 OECD에서 발표한 우리나라의 66세 이상 노인 빈곤율은 40.4퍼센트입니다. 10명 중 3~4명은 빈곤하게 살아가고 있다는 암울한 수치죠. 부동산 보유가 반영되지 않은 자료라는 점을 감안하더라도 어찌됐건 대한민국은 OECD 회원국 중 노인 빈곤율이 가장 높은 국가입니다. 우리가 노인이 될 시점에는 상황이 긍정적으로 바뀌어 있을까요? 아마도 그 반대로 흘러갈 가능성이 훨씬 높습니다.

국민연금 고갈은 더 이상 놀라운 이야기가 아닙니다. 2013년 정부의 제3차 국민연금 재정계산에서는 기금 고갈 시점을 2060년으로 추정했습니다. 2018년에 발표된 제4차 재정계산에서는 기금 고갈 시점을 2057년으로 정정했습니다. 5년이라는 시간 동안 해결책

OECD 회원국 66세 이상 노인 빈곤율

Korea 2020
0.404
Ratio

0.40	
0.35	
0.30	
0.25	
0.20	
0.15	
0.10	
0.05	
0.00	

Korea
Latvia
Estonia
Bulgaria
Lithuania
United States
Australia
Costa Rica
Japan
Romania
Mexico
Israel
Switzerland
New Zealand
Türkiye
Hungary
United Kingdom
Slovenia
Poland
Canada
Spain
Italy
Germany
Portugal
Belgium
Austria
Sweden
Czech Republic
Ireland
Greece
Finland
Slovak Republic
Netherlands
Luxembourg
Norway
France
Denmark

출처: OECD
(2020)

을 찾긴커녕 고갈 시기만 3년이나 앞당긴 것이죠. 여기서 끝이 아닙니다. 2023년에 발표된 제5차 국민연금 재정계산에서는 2년을 더 앞당겨 2055년 연금 고갈을 예상했습니다. 새로운 자료가 발표될 때마다 고갈 시기만 계속 단축됐죠. 모두가 문제임을 인식하고 있는 상황에서도 문제는 해결될 기미가 보이지 않고, 오히려 고갈 속도가 점점 더 빨라지고 있습니다. 결코 쉽게 해결될 만한 문제가 아니라는 의미입니다.

당신의 예상 은퇴 시점은 언제인가요? 60세를 정년으로 삼았을 때 현재 나이가 30세라면 30년 후, 40세라면 20년 후쯤이 되겠죠. 은퇴 시점이 다가올수록 국민연금 고갈은 더 이상 소문이 아닐 가능성이 높습니다. 모두가 패닉에 빠질 때 함께 겁에 질리지 않으려면 지금부터 준비해야 합니다. 참혹한 사실을 전하자면, 공무원연금은 30년 전인 1993년부터 적자가 발생하기 시작해 2002년 모든 기금이 고갈됐습니다. 군인연금은 50년 전인 1973년에 이미 고갈을 알렸습니다.

폭탄 돌리기는 오래전에 시작됐지만 익숙해진 탓에 대수롭지 않게 생각하는 사람이 많습니다. 폭탄을 먼저 넘긴 사람은 웃으면서 편안한 노후를 즐길 수 있습니다. 하지만 나중에 폭탄을 넘겨받을 사람은 언제 터질지 모르는 불안감과 함께 불투명한 미래를 그리게 될 겁니다. 우리 2040세대는 더 이상 폭탄 돌리기에서 자유로울 수 있는 세대가 아님을 속히 깨닫고 스스로 그에 대한 대책을 마련해야만 합니다.

가장 먼저 해야 할 일은 노후에 받게 될 예상 연금 수령액을 파악하는 겁니다. 금융감독원 홈페이지(QR코드)에서 '통합연금포털 → 내 연금 조회' 탭을 클릭하면 현재까지 모아온 연금을 볼 수 있습니다. 스마트폰에 '금융감독원' 앱을 설치하면 모바일로도 확인할 수 있습니다.

금융감독원 홈페이지
(통합연금포털 → 내 연금 조회 탭 클릭)

제 자료를 예시로 들겠습니다. 교사인 저는 국민연금과 퇴직연금 대신 공무원연금을 모아가고 있습니다. 12년 동안 모아온 연금은 월 85만 원 정도 됩니다. 연금만으로 이미 만 65세 이후 월 80만 원이 넘는 수입을 확보한 셈이죠. 열심히 일해 20년 이상 더 모아가면 연금은 월 200만 원 이상이 될 가능성이 높습니다. 예상 연금 수령액을 직접 눈으로 확인하고 나면 생활비를 줄여서라도 월급의 일정 부분을 끊임없이 투자해야겠다는 다짐이 더욱 확고해질 겁니다. 그렇다고 해서 안심하기는 이릅니다. 여기서 1가지 사항을 더 고려해야 되기 때문이죠. 바로 물가 상승률입니다.

한국은행이 발표한 물가 안정 목표 2퍼센트가 꾸준히 유지된다

배당연금술사의 예상 연금 수령액

구분	급여종류	지급개시예정월	예상연금수령액(원/월)	비고
		공무원연금		공무원연금 바로가기 >
계략살세				
재직자	퇴직연금	2047/01	847,147	월지급
재직자	일시금	-	64,440,450	일시지급
재직자	퇴직수당	-	15,539,490	일시지급

출처: 금융감독원(2023.3)

고 가정한다면, 35년 후 물가는 현재의 2배 수준이 됩니다. 즉, 35년 후에는 현재 300만 원의 가치를 지니려면 최소 600만 원이 필요하다는 소리입니다. 공적연금도 물가 상승률을 반영해서 조금씩 늘어나고는 있지만 만족할 수준은 아닙니다. '내 연금 조회'로 살펴본 현재 연금이 흡족하지 않다면 좌절할 게 아니라 열심히 보완해 나가야 합니다. 통합연금포털에서 조회된 퇴직연금과 개인연금은 빨라야 만 55세, 국민연금과 공무원연금은 만 65세 이후에 만질 수 있는 돈입니다. 공적연금 고갈 시기가 다가올수록 모두의 희생을 강요하는 목소리는 점점 더 커질 겁니다. 우리 모두에게 불행한 소식이죠.

공적연금은 정부 정책에 의해 점점 더 불리한 방향으로 개혁될 수 있습니다. 하지만 배당연금은 다릅니다. 국민의 노후 대비를 위해 정부가 개입하는 연금제도가 아니라 기업이 지급하는 배당금을 연금처럼 받는 것이기 때문이죠. 또한 실제 연금이 아니므로 수령 나이 같은 것은 애초에 존재하지 않습니다. 누구나 배당주를 보유하는 순간 배당연금을 손에 쥘 수 있습니다. 따라서 배당연금을 이해한 사람은 젊을 때부터 부지런히 배당연금을 늘려가면 됩니다. 노동에서 해방되는 시기를 조금이라도 앞당길 수 있는 훌륭한 방법이 될 겁니다.

동기유발 측면에서도 분명한 차이가 존재합니다. 공적연금은 연금 수령 시기인 만 65세 이후가 돼야만 성취감을 느낄 수 있습니다. 보상이 한참 후에야 주어지니 미래를 위해 현재를 희생해야 한다는 무력감에 휩싸이기 쉽습니다. 반면 배당연금은 연금이 늘어가는 과정을 즉각 실감할 수 있다는 장점이 있습니다. 노후 준비를 돕는 동시에 현재의 삶을 더욱 보람차게 만들죠.

공적연금제도가 불리하게 개정될 때마다 불안에 떨지 않으려면 배당연금을 반드시 함께 늘려가야 합니다. 국민연금, 퇴직연금, 공무원연금에는 한계가 있지만 배당연금에는 한계가 없습니다. 수량을 늘리는 만큼 계속해서 몸집을 불려나갈 수 있습니다. 이제부터 공적연금이나 퇴직연금이 아닌 배당연금으로 진정한 연금 부자로 거듭나십시오. 저의 경제적 목표도 단 하나입니다. 배당연금 파이프라인을 구축해 잠든 사이에도 월급 이상의 수입을 안정적으로 만들어내는 겁니다.

월급 노예에서 벗어나는 배당연금 파이프라인

하루 24시간 중 성인의 적정 수면 시간이라 알려진 7시간을 빼고 나면 우리에게 주어진 시간은 17시간뿐입니다. 그중 절반도 대다수가 생계를 위해 일하며 보내고 있습니다. 돈을 벌었다고 표현하지만, 엄밀히 말하면 돈과 시간을 맞바꾼 셈입니다.

우리에게 주어진 시간은 유한합니다. 그러므로 돈과 시간을 맞바꾸고 마냥 좋아해서는 안 됩니다. 자신의 삶과 월급을 맞교환하고 스스로에게 쓸 시간조차 잃어버린 사람을 '월급 노예'라고 부릅니다. 언제까지 '월급 노예'로 살 수는 없지 않습니까.

《부자 아빠 가난한 아빠》의 저자 로버트 기요사키는 시간과 돈을 맞바꾸는 상황을 물통을 나르는 일에 비유했습니다. 이 비유를 활용해 저는 배당연금을 모아가는 우리 상황에 비춰서 설명하겠습니다. 다음과 같이 가상의 두 인물을 설정했습니다.

강에서 물을 길어와 마을 사람들에게 배달하려는 성실한 두 청년이 있습니다. 한 청년은 건장하고 다른 청년은 왜소합니다. 먼저 건장한 청년은 한 번에 더 많은 물을 나를 수 있는 큰 물통부터 준비했습니다. 물통이 커질수록 물을 더 많이 담을 수 있기 때문이죠. 똑같이 하루 10시간씩 일하더라도 그만큼 돈을 많이 벌 수 있게 됩니다. 하지만 왜소한 청년은 드는 힘이 약해 물통의 크기도 작고 담긴 물의 양도 적었습니다. 실제로 건장한 청년이 받는 보수는 왜소한 청년의 보수보다 몇 배가량 더 많았죠.

만약 우리가 왜소한 청년이라면 어떻게 하는 것이 좋을까요? 건장한 청년처럼 갑자기 몸을 키우는 것은 현실적으로 어려울 겁니다. 한없이 부러워해봤자 나아지는 것도 없습니다. 오히려 열등감만 더 커질 테니까요. 저라면 하루라도 빨리 파이프라인 만들기를 시작할 겁니다. 일단 하루 8시간은 예전처럼 물통을 옮겨 돈을 벌고, 나머지 2시간은 강물을 마을로 옮길 파이프라인을 만들 계획입니다. 물통을 나르던 시간을 2시간이나 줄였으니 당연히 수입은 전보다 줄겠죠. 한동안 수입 격차가 더욱 벌어질 테지만 걱정할 필요는 없습니다. 미래를 위해 큰 그림을 그린 것이니까요.

그 후 20년이 흘렀다고 가정해보겠습니다. 두 청년은 중년이 됐습니다. 건장한 중년은 여전히 체력이 좋았지만 예전만큼은 아니었죠. 이전처럼 하루 10시간씩 큰 물통을 거뜬하게 짊어지지도 못하고, 걸음도 훨씬 느려졌습니다. 자연스레 수입도 줄어들었습니다. 이번에는 왜소한 중년의 이야기를 들려주겠습니다. 나이가 든 만큼 물통을 나를 힘은 더욱 없어졌습니다. 그러나 별로 걱정될 것이 없습니다. 지난 20년 동안 매일 2시간씩 물이 자동으로 흘러들어오는 파이프라인을 만들어놓았기 때문이죠. 이제 왜소한 중년은 어쩌다 한 번씩 파이프라인에 물이 잘 들어오고 있는지만 확인하면 됩니다. 굳이 힘들여 물통을 옮길 필요도 없어졌습니다.

또다시 20년이 흘렀다고 가정해보겠습니다. 두 중년은 노인이 됐습니다. 건장한 노인은 하루에 한 번 물을 옮기는 것도 힘겹습니다. 하지만 계속해야 하죠. 돈을 벌어야 하니까요. 왜소한 노인은 어떨까요? 자기만의 시간을 보내며 그저 쉴 뿐입니다. 파이프라인으로 하루 24시간 온종일 물이 들어오고 있기 때문에 마음이 편안합니다.

여기서 물통에 담긴 물은 '월급', 파이프라인으로 흘러들어오는 물은 '배당연금'이라고 바꿔 생각하면 이해하기 훨씬 쉬울 겁니다. 많은 사람이 큰 물통(보수가 좋은 직업)을 찾아 더 많은 물(많은 월급)을 담는 것에 집중합니다. 부를 축적하기 위해서는 물통 크기에 집착하면 안 됩니다. 작은 물통이든 큰 물통이든 결과적으로 근로소득에 의지하는 삶이라면 우리는 월급 노예에서 결코 벗어날 수 없습니다. 시간이 오래 걸리더라도 물통으로 직접 옮기는 방식에서 파이프라인으로 물을 옮기는 방식으로 바꿔야 합니다. 다시 말해 근로소득을 자본소득으로 바꿔나가는 과정이 필요하다는 것이죠.

자신의 젊음과 월급이 영원할 것이란 착각에 빠진 사람은 근로

소득에 만족하는 삶을 살아갑니다. 하지만 월급 노예가 되지 않으려면 근로소득 없이도 현금이 만들어지는 부의 파이프라인을 반드시 구축해야 합니다. 가장 먼저 해야 할 일은 소비 습관을 바꾸는 겁니다. 소비를 참을 필요까지는 없습니다. 다만 뒤로 미루는 연습이 필요합니다.

예를 들어보죠. A 씨는 사고 싶은 물건이 있으면 계좌에 월급이 꽂히는 순간 질러버리는 습관이 있습니다. 월급 노예로 끝까지 남게 되는 전형적인 유형입니다. B 씨는 월급이 들어오면 물건을 사는 대신 배당연금 투자를 합니다. 배당주를 매수해 얻는 배당금을 모아서 원하는 물건을 구매합니다. 월급 노예에서 해방되려면 B 씨처럼 소비해야 합니다.

월급으로 물건을 사면 물건을 얻는 대신 돈을 잃습니다. 그에 반해 월급으로 배당주를 매수하고 배당금으로 물건을 사면 물건과 함께 배당주라는 자산까지 보유할 수 있게 됩니다. 의도적으로 소비 단계를 늘려 불편하게 만들었기 때문에 충동구매를 막을 수도 있죠. 당장 필요하지 않은 소비를 뒤로 미루면서 배당주라는 자산을 모아가다 보면 어느 순간부터는 배당금만으로도 소비가 가능해지는 시기가 분명 찾아올 겁니다.

월급 노예를 벗어나는 과정을 간단히 정리하면 다음과 같습니다.

① 파이프라인 설계하기

  현금흐름(배당연금)을 만들 수 있는 자산(배당주)을 보유한다.
② 현금흐름 늘리기

  자산(배당주)으로부터 생성되는 현금흐름(배당연금)을 조금씩
  늘려간다.
③ 월급 이상의 현금흐름 구축하기

  현금흐름(배당연금)이 월별 지출 금액을 초과하도록 만든다.

이 단순한 구조를 알지 못하고 평생 하나의 파이프라인도 구축하지 못한 채 살아가는 사람들이 많습니다. 반면 부의 파이프라인을 잘 만들어놓은 사람은 이미 월급이라는 물통 말고도 다양한 파이프라인을 통해 돈을 끊임없이 생산해내고 있죠.

제 초봉은 월 200만 원도 되지 않았습니다. 그때도 지금도 대기업에 다니는 친구에 비하면 저는 여전히 작은 물통을 짊어지고 있는 한 사람입니다. 개인의 노력으로 물통의 크기를 늘리는 것은 쉽지 않으나, 다양한 파이프라인을 만들어놓는 건 누구나 할 수 있습니다. 현재 저의 파이프라인은 공무원연금, 배당연금, 유튜브 수익, 책 인세, 부동산 월세입니다. 이보다 더 많은 파이프라인을 만들 수 있지만 교사라는 직업 윤리와 상충할 수 있는 것은 하지 않을 계획입니다.

여러 파이프라인 중 배당연금을 강조하는 이유는 단 하나입니다. 투자와 노력 대비 성과가 가장 확실하기 때문이죠. 부동산 투자는 초기 자본이 많이 듭니다. 유튜브는 진입장벽은 낮지만 노력한 만큼 현금흐름이 만들어질 것이란 보장이 없습니다. 배당연금은 다릅니다. 끈기만 있으면 누구나 눈부신 성과를 이룰 수 있습니다. 부의 파이프라인을 만드는 원리를 습득했다면 일단 실천해보십시오. 파이프라인은 단기간에 구축되지 않습니다. 오랜 시간에 걸쳐 끈기 있게 만들어가야 합니다. 시간을 투자해 만든 탄탄한 배당연금 파이프라인은 우리에게 안정적인 현금흐름을 평생에 걸쳐 제공할 것이며, 월급과 시간을 맞바꾸는 삶에서 해방시켜줄 겁니다.

$$02$$

흔들리지 않는 투자를 위한 3개의 축

첫 번째 축, 배당 수익률

배당연금 투자에서 핵심 개념 3개만 기억하십시오. 이 개념들이 균형을 갖추어야 한다는 점을 강조하기 위해 '3개의 축'이라고 부르겠습니다.

첫 번째 축은 배당 수익률입니다. 제가 배당이라는 개념을 처음 접하게 된 건 10여 년 전입니다. 부모님은 시간과 돈을 맞바꾸는 삶을 자식에게만큼은 물려주고 싶지 않아 했습니다. 두 분께서 가르쳐줄 수 없는 건 지인의 지인을 통해서라도 알려주고 싶어 했죠. 사실 저는 그게 못마땅했습니다. 건너 건너 아는 사람이 굳이 제게 의미 있는 정보를 줄 이유가 없다고 생각했으니까요. 지금 생각해 보면 어리석었습니다. 마음의 여유가 있는 사람은 자신이 가지고 있는 좋은 생각을 함께 나누고 싶어 한다는 걸 그때는 몰랐습니다. 제 마음속에 여유가 없어서 몰랐던 거죠.

어머니는 제게 지인의 지인 중 평생 투자와 관련된 일을 해오다 은퇴하신 분과 이야기할 기회를 만들어줬습니다. 지인의 지인이면 사실 남과 다를 바 없죠. 그럼에도 불구하고 그 어르신은 사회 초년 생인 제게 여러 가지 투자 조언을 들려줬습니다. 그동안 학교에서 배웠던 것과는 완전히 다른 이야기였습니다. 하지만 안타깝게도 그 당시의 저는 그분의 조언을 한 귀로 듣고 한 귀로 열심히 흘려보냈습니다. '투자로 버는 돈은 성실히 일해서 버는 돈의 가치를 결코 뛰어넘을 수 없다'라는 생각에서 쉽게 벗어날 수 없었던 거죠. 생각에도 관성이란 게 있나 봅니다.

어르신 이야기에는 제가 듣고 싶은 성공 사례 대신 실패와 후회 담으로 가득했습니다. 성공과 실패를 수없이 반복하면서 많은 시간을 허비한 후 배당연금 투자로 돌아왔다는 게 결론이었죠. 사실 그때는 배당이 뭔지도 제대로 몰라서 이야기가 끝날 때까지 그저 멍하니 듣고만 있었습니다. 대뜸 "그런데 배당이 뭐죠?"라는 질문을 던지기도 애매했습니다. 다행히 제 마음을 읽으셨는지 배당과 배당연금 투자를 최대한 알기 쉽게 설명해줬습니다. 예금 이율 3퍼센트인 은행에 1000만 원을 납입하고 1년을 기다리면 30만 원의 이자를 받듯이, 배당 수익률 5퍼센트인 배당주에 1000만 원을 투자하면 기업으로부터 50만 원의 배당금을 받게 된다는 간단한 설명이었습니다. 예·적금 통장을 만들 때 이율이 중요하듯이, 배당주를 고를 때는 배당 수익률이 중요하다는 기본적인 사실을 그 대화를 통해 처음 알게 된 것이죠.

어르신은 배당금만으로 모든 생활비를 감당하고도 남는다며 은행에 맡기는 것보다는 배당연금 투자를 하는 것이 훨씬 더 좋은 선택이라고 했습니다. 본인이 투자하고 있는 국내 배당주를 친절히 알려주기까지 하면서 소액이라도 투자해 배당받는 경험을 직접 해보라고 권유하셨죠. 월급에 만족하지 말라고 당부하셨지만 사실 어르신 말에 공감하기 어려웠습니다. 아니, 전혀 마음에 와닿지 않았습니다. 어르신은 상당히 큰 금액을 투자했으니 연 5퍼센트의 배당 수익률로도 생활비 이상의 배당금을 만들어낼 수 있는 것이라 생각했습니다. 그에 비해 사회초년생인 저는 투자할 만한 목돈도 없을뿐더러, 적은 월급을 쪼개서 투자해봤자 받게 될 배당금이 소액일 게 뻔했습니다. 아끼고 아껴 월 100만 원씩 배당주에 투자해봐야 연 60만 원의 배당금을 손에 쥘 수 있다고 생각하니 차라리 안전하게 은행에 맡기는 게 낫겠다 싶었죠.

이처럼 배당연금을 만드는 첫 번째 축인 배당 수익률에만 초점을 맞출 경우, 투자금이 적은 사람은 배당연금 투자의 진정한 매력을 느끼기 어렵습니다. 대부분의 젊은 투자자가 배당연금 투자를 멀리하는 이유이기도 합니다. 투자금이 아주 큰 경우가 아니라면 첫 번째 축인 배당 수익률만으로 만족할 만한 배당연금을 만들기란 어려울 겁니다. 현실적인 투자금으로 생활비 이상의 배당연금을 만들기 위해서는 반드시 두 번째 축을 알아야 합니다.

두 번째 축, 배당 성장률

두 번째 축은 배당 성장률입니다. 배당연금 투자는 안정적이지만 수익률이 낮고 재미없는 투자라는 편견이 만연합니다. 젊을 때는 투자금을 불릴 수 있는 과감한 투자를, 나이가 들면 배당연금 투자를 하는 것이 일반적입니다. 계획은 그럴싸하지만 과감한 투자가 투자금을 불려준다는 보장은 그 어디에도 없습니다. 그런 능력이 있다면 노후를 위해 굳이 배당연금 투자로 넘어갈 이유가 있을까요? 끝없이 불려나가면 될 텐데요.

제가 만난 어르신도 30년간 투자금을 늘리기 위해 부단히 노력해온 분입니다. 하지만 전진과 후퇴를 오랜 시간 반복한 결과, 결국에는 제자리였던 것이죠. 그래서 저는 불확실성으로 가득한 그 과정을 과감히 생략해보고자 했습니다. 과도한 욕심을 버리고 처음부터 안정적인 배당연금 투자로 시작하면서 시간을 최대한 아끼는 전략으로 말입니다. 하루라도 빨리 배당연금 투자를 시작하고자 했던 이유는 배당연금을 만드는 두 번째 축인 배당 성장률을 제대로 활용하기 위해서기도 합니다. 첫 번째 축인 배당 수익률은 투자금이 클 때 더 큰 의미를 지닙니다. 반면 두 번째 축인 배당 성장률은 오래 보유할수록 더 강력한 힘을 발휘하죠. 이제 배당 성장률에 대한 이야기를 자세히 나눠보겠습니다.

투자의 대가 워런 버핏Warren Buffett의 투자 철학에서 절대 빠지지 않는 종목이 있습니다. 바로 코카콜라입니다. 배당 이야기를 시작하기 전에 버핏의 코카콜라 매수와 보유 과정부터 살펴보겠습니다. 배당금을 받기 위해서는 매수와 보유가 선행돼야 합니다. 1981년부터 1988년까지 코카콜라의 주가는 4배 이상 상승했습니다. 버핏이 코카콜라를 본격적으로 매수하기 시작한 시점은 1988년이니 이미 큰 폭으로 주가가 오른 코카콜라를 매수한 셈이죠.

월가는 버핏의 코카콜라 투자에 대해 좋지 않은 선택이라고 평했습니다. 매수 시점이 너무 늦어 보였던 것이죠. 사실 버핏은 코카콜라를 고점에 매수하지 않았습니다. 오히려 그 반대죠. 1980년대 중반, 증시가 달아오르며 모두가 환호할 때 버핏은 환호하지 않았습니다. 조용히 때를 기다리다 1988년 6월부터 1989년 3월까지 10개월에 걸쳐 코카콜라에 10억 2300만 달러라는 막대한 자금을 투입했습니다. 반면 투자자 대다수는 겁에 질려 아무것도 하지 못했죠. 그 이유는 1987년 10월 증시 대폭락으로 주식시장에 공포

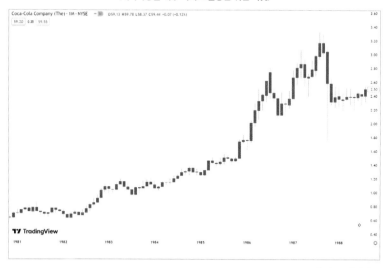

코카콜라 1981~1988년 차트
(대폭락장을 매수 기회로 활용한 워런 버핏)

가 만연했기 때문입니다. 이것이 바로 그 유명한 '블랙 먼데이Black Monday'입니다. 버핏은 대폭락장을 매수 기회로 적극 활용한 덕분에 10개월 만에 코카콜라의 최대 주주가 됐습니다.

당시 매수했던 수량은 2300만 주 정도였는데, 1990년과 1992년 두 차례에 걸친 2대1 주식 분할(보유 수량은 2배가 되며 주가는 절반으로 낮아짐)로 버핏의 보유 수량은 4배 증가했습니다. 무려 9200만 주 이상의 수량을 보유하게 된 것이죠. 버핏은 거기서 멈추지 않았습니다. 1994년 추가 매수를 진행하면서 보유 수량 1억 주를 채웠습니다. 1억 주를 딱 맞췄다는 건 어설프게 조금씩 사거나 팔지 않겠다는 의지로 해석할 수 있습니다. 실제로 그는 1억 주를 채운 이후 지금까지 코카콜라 주식을 추가로 매수하거나 매도하지 않고 있습니다. 1996년과 2012년 두 차례에 걸쳐 2대1 주식 분할이 이뤄져 현재 버핏은 4억 주를 보유하고 있습니다. 버핏이 코카콜라에 투자한 총 투자금은 13억 달러입니다. 13억 달러를 4억 주로 나누면 매수 평균 단가는 '3.25달러'입니다. 뒤에서 다시 언급할 예정이니 이 숫자를 꼭 기억해두기 바랍니다.

버핏은 1988년에 코카콜라를 대량으로 매수한 이후 본인이 이끌고 있는 투자 자문회사 버크셔해서웨이 주주에게 보내는 서한에 다음과 같이 적었습니다.

"뛰어난 경영진이 있는 뛰어난 기업에 투자했다면 우리는 영원히 보유하기를 원한다."

코카콜라를 영원히 보유하고 싶다는 말이 빈말이 아니었다는 건 30년이 훌쩍 넘는 시간이 증명합니다. 그런데 왜 버핏은 코카콜라를 영원히 보유하길 원한다고 했을까요? 짐작건대 배당 때문일 겁니다. 이제부터 본격적인 배당 이야기를 해보겠습니다.

버핏의 코카콜라 투자에서 가장 핵심이 되는 것을 딱 하나만 꼽

으라고 한다면 단연 배당입니다. 2023년 3월 기준, 코카콜라는 1주당 60달러 정도에 거래되고 있습니다. 2023년 예상 배당금은 1.84달러이니 배당 수익률은 3퍼센트 정도입니다. 코카콜라에 1억 원을 투자하면 1년에 300만 원가량(세전)의 배당금을 받게 되는 것이죠. 앞에서 기억해두라고 한 숫자가 있었습니다. 버핏은 30여 년 전 코카콜라 주식을 1주당 '3.25달러'에 매수했습니다. 1988년에는 1주당 배당금이 고작 0.03달러에 불과했지만 30년이 훨씬 지난 2023년에는 1.84달러가 됐습니다. 코카콜라라는 기업이 매년 조금씩 배당금을 늘려왔기 때문이죠.

코카콜라는 60년간 단 한 해도 빠짐없이 배당금을 늘려왔습니다. 이처럼 배당금이 꾸준히 늘어난 종목을 '배당 성장주'라고 부릅니다. 다시 말해 코카콜라는 60년 이상이나 배당금을 늘려온 미국 시장을 대표하는 배당 성장주라 할 수 있죠. 그중 35년이라는 시간을 버핏과 함께해온 겁니다. 현재 코카콜라의 1주당 배당금 1.84달러를 버핏의 매수 단가 3.25달러로 나누면 0.56이라는 수치가 나옵니다. 즉, 버핏의 배당 수익률이 56퍼센트라는 의미입니다. 버핏이 처음 매수에 들어갔던 1988년의 배당 수익률은 2퍼센트 후반에 불과했으나 시간이 지나면서 배당금도 조금씩 늘어 배당 수익률이 무려 56퍼센트에 이르게 됐습니다. 쉽게 말해 1988년에 1억 원을 투자했다면 올 한 해 배당금으로만 5600만 원(세전)의 수익을 올리는 겁니다.

버핏이 코카콜라에 투자한 총 투자금인 13억 달러는 한화로 얼마일까요? 편의를 위해 1달러를 1200원으로 환산해보면, 약 1조 5600억 원이 됩니다. 여기에 그가 보유한 수량이 4억 주인데, 1주당 1.84달러의 배당금을 받는다고 가정하면 2023년 한 해에만 무려 7억 3000만 달러 이상의 배당을 받는다는 계산이 나옵니다. 환화로 약 8700억 원이 넘는 엄청난 금액입니다. 2년을 보유한다면 배당금은 기하급수적으로 늘어나 1조 7500억 원이 됩니다. 초기 투자금 1조 5600억 원을 모두 회수하고도 남는 금액이죠.

연 56퍼센트의 배당 수익률은 배당 성장에 시간이 더해진 결과입니다. 코카콜라가 60년 가까이 지켜왔던 배당 성장의 약속을 깨지 않는다면 배당금은 앞으로도 계속 늘어날 겁니다. 주가 흐름과는 별개로 매년 56퍼센트 이상의 배당 수익을 평생 누릴 수 있다는 의미죠. 매도하지 않고 수량을 유지하기만 해도 엄청난 배당 수익이 창출되는 코카콜라야말로 버핏에게 평생토록 현금을 안겨줄 완벽한 파이프라인입니다.

버핏은 코카콜라의 주가가 오르든 내리든 전혀 신경 쓰지 않을 겁니다. 실제로 1997년 코카콜라의 부흥기를 이끌었던 로베르토 고이주에타Roberto Goizueta 회장이 세상을 떠난 이후 코카콜라의 주가는 8년간 우하향하며 반토막이 났지만 버핏은 흔들리지 않았습니

코카콜라 1988~2005년 차트
(8년 연속 주가 하락에도 매도하지 않은 워런 버핏)

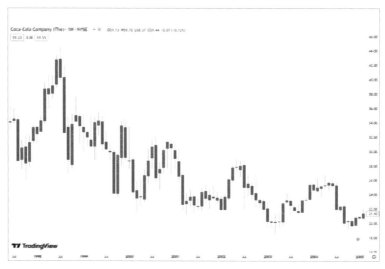

출처: 트레이딩뷰

다. 주가가 폭락한 8년 동안에도 배당 수익은 매년 꾸준히 증가했기 때문이죠. 현금흐름을 창출하는 자산을 보통 황금알을 낳는 거위에 비유하곤 합니다. 한마디로 버핏은 거위의 가격이 계속 낮아지는 상황에서도 황금알을 낳는 거위의 배를 가르지 않고 계속해서 황금알을 모아가는 선택을 한 것이죠.

버핏이 코카콜라를 매수한 이후 코카콜라의 주가는 20배 이상 상승했습니다. 하지만 그가 매도 후 20배의 수익을 챙기지 않는 이유는 단 하나입니다. 막대한 배당 수익을 평생 누리기 위함이죠. 꾸준한 배당 성장에 시간이 더해지면 매도하지 않고도 의미 있는 수익 창출이 가능해진다는 것을 꼭 기억해야 합니다. 배당연금 투자자에게 필요한 능력은 완벽한 매도 기술이 아닌 오랫동안 보유할 수 있는 인내심과 끈기입니다.

여기까지 보고 '버핏처럼 코카콜라에 투자하면 되겠구나!'라고 혹시나 생각했다면 잠깐 기다리십시오. 그 생각은 틀렸습니다. 절대로 따라 해서는 안 되는 이유를 알려드리겠습니다. 배당금이 매년 성장한다고 해서 다 똑같은 배당 성장주가 아닙니다. 성장에도 속도 차이가 존재하기 때문이죠. 배당 성장 속도를 수치로 표현한 것이 바로 배당 성장률입니다. 코카콜라의 배당금이 어느 정도 속도로 성장해나가고 있는지 확인해보겠습니다.

투자 전문 매체 시킹알파에서 코카콜라(KO)를 검색한 후 'Dividends' 탭을 누르면 코카콜라의 배당과 관련한 다양한 정보를 한눈에 확인할 수 있습니다. 배당연금을 만드는 첫 번째 축인 배당 수익률은 3.08퍼센트네요. 2023년 3월 코카콜라를 매수할 경우, 연 3.08퍼센트의 배당금을 받게 된다는 뜻이죠. 35년 전에 매수한 버핏의 배당 수익률이 56퍼센트라는 사실은 앞서 설명했습니다. 만약 35년간 배당 성장이 전혀 이뤄지지 않았다면 오래전 매수한 버핏과 현재 매수하는 투자자의 배당 수익률은 똑같을 겁니다. 하지만 코카콜라의 배당금은 매년 성장해왔기 때문에 오래전부터

코카콜라 배당 정보 요약

Dividend Summary

Div Yield (FWD)	Annual Payout (FWD)	Payout Ratio	5 Year Growth Rate	Dividend Growth
3.08%	$1.84	70.97%	3.53%	60 Years

보유한 버핏은 56퍼센트, 지금 매수하는 투자자는 3.08퍼센트라는 엄청난 차이가 생깁니다. 배당 성장에 시간이 더해져 큰 차이를 만든 겁니다.

두 번째 축인 배당 성장률도 확인해보겠습니다. 5년 평균 배당 성장률을 보면 3.53퍼센트라고 되어 있습니다. 쉽게 말해 작년에 100만 원의 배당금을 받았다면 올해에는 3.53퍼센트가 증가한 103만 5300원의 배당금을 받는다는 말이죠. 저는 배당금이 연평균 10퍼센트 내외로 성장하는 종목을 선호합니다. 이 경우 받게 될 배당금은 7년마다 2배 정도 증가하게 됩니다. 그런데 아이러니하게도 코카콜라의 지난 5년 연평균 배당 성장률은 10퍼센트에 한참 못 미치는 3.53퍼센트에 불과합니다. 과거 연 20퍼센트 이상이라는 대단한 배당 성장을 보여줬던 종목입니다. 2000년대 중반까지도 연평균 10퍼센트 내외의 배당 성장률을 보여줬지만, 그 영광이 무색하게 지금은 3퍼센트대 배당 성장률을 기록하게 된 것이죠. 만약 우리가 지금 코카콜라에 투자한다면 코카콜라의 전성기가 아닌 노년기를 함께하는 셈입니다. 이처럼 똑같은 종목이라도 '언제 함께하느냐'에 따라 결과가 크게 달라질 수 있습니다.

평범한 개인 투자자가 월급 이상의 배당연금 파이프라인을 만들기 위해서는 두 번째 축인 배당 성장률을 제대로 이해하고 활용하는 것이 중요합니다. 기업의 배당 성장 전성기를 최대한 오랫동안 함께하는 것이 핵심이죠. 전성기를 장기간 함께하면 노년기가 찾아와도 두려울 것이 없습니다. 이미 엄청난 배당 수익률이 만들어졌을 테니까요. 투자금을 불린 후 배당연금 투자를 하겠다는 생각을 내려놓고 하루라도 빨리 배당 성장주를 보유하십시오. 버핏은 58세의 나이가 됐을 때 코카콜라 투자를 시작했습니다. 86세에는 애플에 투자했죠. 아직 늦지 않았습니다. 조급함을 이겨내는 자만이 부의 파이프라인을 만들 수 있습니다.

세 번째 축, 복리의 마법

마지막 세 번째 축은 복리의 마법입니다. 평범한 직장인은 월급에 많은 의지를 하고 열심히 모아갈 테지만, 그것만으로는 부족합니다. 예·적금의 한계는 명확하기 때문이죠.

1억 원이 있다고 가정해보겠습니다. 은행에 1억 원을 맡긴 후, 이자로 연 3600만 원(월 300만 원)을 받으려면 어떻게 해야 할까요? 간단합니다. 연 이자 36퍼센트를 지급하는 예금 상품에 가입하면 되죠. 물론 비과세 상품일 때의 이야기입니다. 만약 이자 소득세 15.4퍼센트를 제외하고도 이자로 연 3600만 원을 받길 원한다면 연 이자율 42.6퍼센트짜리여야 합니다. 그렇습니다. 한마디로 예금 1억 원으로 월 300만 원의 현금흐름을 만드는 건 사실상 불가능하다는 의미입니다.

만약 10억 원이 있다면 어떨까요? 연 4.26퍼센트의 예금 상품을 활용해서 연 이자 3600만 원을 받을 수 있습니다. 다만 2가지 문제점이 있습니다. 첫 번째 문제점은 연 4.26퍼센트라는 높은 이자를 제공하는 상품을 찾기가 무척 어렵다는 겁니다. 2023년에는 기준 금리가 올라가면서 연 5퍼센트가 넘는 상품도 생겼지만 이러한 현상이 영원히 지속되진 않을 겁니다. 2020년 3월까지만 해도 대부분의 예금 상품 금리는 연 1퍼센트대였다는 사실을 잊지 마십시오. 기준 금리가 다시 2퍼센트 정도로 낮아지면 연 이자 3600만 원을 받기 위해서는 20억 이상의 자금이 필요합니다. 이처럼 기준 금리 변화에 따라 늘어나기도, 마르기도 하기 때문에 안정적인 현금흐름을 만드는 데 있어 어려움이 있습니다. 은행의 예금 상품이 현금흐름 파이프라인으로 적합하지 않은 가장 큰 이유입니다.

두 번째는 지극히 현실적인 문제입니다. 평범한 직장인에게는 은행에 맡길 10억 원이라는 큰 자금이 애초에 없습니다. 현실적으로 막대한 자금은 필요 없습니다. 1억 원만으로도 강력한 현금흐름을 만들어낼 수 있습니다. 시간이라는 강력한 지렛대를 활용하면 됩니다. 배당 수익률 3퍼센트, 배당 성장률 12퍼센트인 종목에 1억 원을 투자했다고 가정해보겠습니다. 배당 수익률 3퍼센트일 때 1억 원을 투자하면 연 300만 원의 배당금을 받을 수 있습니다. 우리가 기대했던 연 3600만 원에는 턱없이 부족하지만 실망하기는 이릅니다. 시간과 끈기로 금액을 늘려나가면 되니까요.

실제로 받을 배당금을 확인하기 위해 15퍼센트의 배당 소득세(미국 배당 소득세: 15퍼센트, 한국 배당 소득세: 15.4퍼센트)를 차감하고 계산하도록 하겠습니다. 연 300만 원의 배당금이 연 255만 원이 된다고 생각하면 됩니다. 12개월로 나누면 월 21만 원 정도에 해당하는 금액입니다. 만약 배당 성장이 이뤄지지 않는다면 아무리 시간이 흘러도 매년 255만 원씩 받게 됩니다. 반면 배당 성장률이 연 12퍼센트라면 매년 받게 될 배당금은 12퍼센트씩 복리로 커집니다. 또한 72법칙(55페이지 참고)에 의해 배당금이 6년에 2배씩 성장합니다.

40세에 1억 원을 투자했다고 가정해보겠습니다. 배당 수익률 3퍼센트인 경우 배당 소득세를 제외하면 매월 21만 2500원의 배당금을 받을 수 있습니다. 편의를 위해 월 20만 원으로 계산하겠습니다. 40세에 월 20만 원으로 시작해 6년마다 2배씩 커져갑니다. 시

40세부터 배당연금 투자를 시작할 경우
(투자금 1억 원, 배당 수익률 3%, 배당 성장률 12% 가정)

40세	46세	52세	58세	64세	70세	76세
월 20만 원	월 40만 원	월 80만 원	월 160만 원	월 320만원	월 640만 원	월 1280만 원

간이 흐를수록 더 많은 현금이 흘러들어오게 될 테죠. 계산에 따르면 76세에는 월 1280만 원을 받을 수 있습니다. 남들이 노후 파산을 걱정할 때 우리는 그저 넘치는 돈을 어떻게 관리하면 좋을지 기분 좋은 상상을 하면 됩니다. 물론 코카콜라의 사례처럼 아무리 좋은 배당 성장주도 연 12퍼센트의 배당 성장률을 평생 유지할 수는 없습니다. 하지만 기업의 전성기를 오랫동안 함께하며 배당금을 꾸준히 재투자하면 앞에서 제시한 수치는 얼마든지 실현 가능합니다. 만일 50세부터 1억 원 투자를 시작하더라도 98세에는 월 5000만 원이 넘는 배당금을 손에 쥘 수 있습니다. 세금도 그에 따라 늘겠지만 이전의 삶과 비교한다면 훨씬 만족스러울 겁니다.

배당연금은 삶이 다하는 순간 끝나는 공적연금과 차원이 다릅니다. 배당연금 파이프라인을 물려받은 자녀는 평생 부자로 살아갈 수 있습니다. 일명 금수저보다도 좋은 '연금 수저'로 살아가겠죠. 배당 수익률 3퍼센트와 배당 성장률 12퍼센트의 조합이면 시간이 지남에 따라 기하급수적으로 배당연금이 증가하는 엄청난 파이프라인을 만들 수 있습니다. 문제는 이런 퍼포먼스를 오래 유지할 수 있는 종목이 있냐는 겁니다. 결론부터 말하자면, 그런 종목은 존재합니다. 이제부터 우리가 해야 할 일은 평생 배당연금을 안겨줄 좋은 종목을 찾아 최대한 오랫동안 보유하는 겁니다.

핵심은 투자자의 의지

첫 번째 축은 어르신과 나눈 대화를 통해 쉽게 배웠지만, 두 번째 축은 이해하기까지 생각보다 많은 시간이 걸렸습니다. 어르신의 조언을 듣고 배당연금 투자를 곧바로 시작하게 되는 거짓말 같은 일도 일어나지 않았습니다.

그 후로도 월급 받는 삶에 만족하면서 취업 후 6년 동안 열심히 아끼고 아껴 1억 원을 모았습니다. 그 돈에 대출금을 더해 실거주할 아파트까지 분양받았습니다. 뿌듯했느냐고요? 사실 그럴 줄 알았는데 의외로 상실감이 더 컸습니다. 통장에 있던 1억 원이 순식간에 사라지고 갚아야 할 대출금이 생겼기 때문이죠. 월급만으로는 제아무리 예·적금을 들고 노력해봐야 평생 경제적 자유를 얻을 수 없다는 사실을 깨달았습니다. 한 줄기 희망과 같은 공무원연금마저 미래를 보장할 수 있는 카드로서 효용이 떨어지자, 이대로는 안 되겠단 생각이 들었습니다. 그때야 비로소 "월급에 만족해서는 안 된다"던 6년 전 어르신의 고언이 머릿속을 스쳐지나갔습니다.

투자의 필요성을 절실히 깨닫고 당장이라도 뛰어들고 싶었지만, 1가지 마음에 걸리는 게 있었습니다. 바로 "성공과 실패를 수없이 반복하면서 많은 시간을 허비했다"는 어르신의 말이었죠. 돌고 돌아 결국 배당연금 투자로 돌아오게 된 이유를 저 스스로 터득해야만 조금 늦게 시작하더라도 추월해나갈 수 있겠다는 판단이 들었고, 그렇게 본격적인 투자 공부를 시작했습니다.

완벽한 깨달음이라는 것이 존재한다면, 깨달음을 얻어 성공한 사람은 이후에도 반복적으로 성공할 수 있어야 합니다. 흥미롭게도 투자의 세계에서는 이 사실이 적용되지 않았습니다. 큰 성공을 이뤘던 실력자가 파산하기도 하고, 아무것도 모르는 초보 투자자가 큰 수익을 경험할 수도 있었죠. 깊이 공부할수록 주식시장은 개인이 수학적으로 예측할 수 없는 영역이라는 확신이 강해졌습니다. 정확히는 '모른다는 것을 인지'하게 된 거죠. 냉정하게 보면 제가 30년 이상의 투자 경험이 축적된 어르신의 능력과 노력을 앞설 방법은 없습니다. 그러나 그가 30년 동안 겪은 시행착오를 제가 반복하지 않는다면 아낀 그 시간만큼 더 나은 투자자가 될 수 있겠다는 계산이 섰습니다.

투자의 성공과 실패를 결정짓는 수많은 요인 중 행운이 차지하는 비중은 의외로 큽니다. 그렇게 행운의 영향을 크게 받는 투자법을 하나하나 지워나갔고, 마지막까지 지워지지 않은 영역은 딱 하나, 배당연금 투자였습니다. 배당연금 투자는 행운보다 노력의 영향이 더 큽니다. 주가가 아닌 수량에 의해 배당연금이 결정되기 때문이죠. 주가는 개인의 의지와 노력으로 어찌할 수 여느있는 영역이 아니지만 수량은 투자자의 의지가 적극적으로 반영되죠. 앞서 이야기한 3개의 축을 이해했다면, 당신도 월급보다 강력한 배당연금 파이프라인을 구축할 수 있습니다.

원금의 2배가 되는 72법칙

배당 성장률이 12퍼센트라면, 배당금은 6년에 2배씩 성장합니다. 연 10퍼센트라면 7.2년에 2배씩 성장하고, 연 9퍼센트라면 8년에 2배씩 성장합니다. 어떻게 바로바로 계산이 나오냐고요? '72법칙'만 알면 간단합니다.

72를 배당 성장률로 나누면 배당금이 2배가 되기까지 몇 년이 걸리는지 쉽게 계산할 수 있습니다. 예를 들어 배당 성장률이 연 12퍼센트라면 72÷12=6, 즉, 6년마다 배당금이 2배로 증가한다는 사실을 알 수 있습니다. 한 번 더 해보겠습니다. 배당 성장률이 연 10퍼센트라면 72÷10=7.2. 즉, 7.2년마다 배당금이 2배로 증가합니다.

온라인 계산기를 사용하면 더욱 쉽게 계산을 할 수 있습니다. 대표적인 온라인 계산기 사이트로는 OurCalc(QR코드)이 있습니다. 계산기 검색창에 'CAGR'을 입력하면 연평균 수익률도 바로 나옵니다. 또는 일반 포털사이트에서 'CAGR 계산기'를 검색해도 됩니다.

OurCalc 홈페이지
(CAGR 검색 후 값 입력)

문제를 하나 내보겠습니다. 3000만 원을 투자해서 4년 후 5000만 원을 만들려면 연평균 몇 퍼센트의 수익률을 올려야 할까요? CAGR 계산기를 활용한다면 다음과 같이 하면 됩니다. 시초 가치에 3000, 최종 가치에 5000, 기간에는 4를 입력해보세요. 그럼 13.62퍼센트라는 결과치가 나옵니다. 4년간 연평균 13.62퍼센트의 수익률이 필요하다는 것이죠. 연평균 수익률을 고려하며 계획을 세울 때 유용하니 꼭 기억해두기 바랍니다.

배당연금 관점으로 마인드셋하라

주식시장을 완전히 떠나지 말 것

주식시장은 늘 비슷한 패턴이 반복됩니다. 인간의 본성이 바뀌지 않는 한 앞으로도 이러한 역사는 계속될 겁니다. 2020년 코로나19 확산에 따른 경제 위기를 막기 위해 전 세계적으로 막대한 유동성 자금이 공급됐습니다. 자금이 풀리면서 수많은 개인 투자자가 시장에 뛰어들었고, 1년 8개월간 엄청난 상승장이 펼쳐졌습니다. 그러나 금리 인상이 시작되면서 영원할 것 같았던 상승장이 끝나고 하락장이 시작됐습니다.

상승장이 이어질 무렵, '현금은 쓰레기'라는 말이 유행했습니다. 투자하지 않고 은행에 돈을 '모셔 두는' 사람을 안타깝게 바라봤죠. 하지만 추세가 깊은 하락장으로 돌아서자 다시 현금에 눈을 뜨게 됐죠. 주식시장에서 손실을 경험한 후 안정적인 수익을 보장하는 은행 상품을 찾는 사람이 늘고 있습니다. 이 역시 주식시장에서 꾸준히 반복돼온 현상입니다. 상승장이 펼쳐지면 '현금은 쓰레기'라는 말이 또다시 유행처럼 번질 겁니다.

상승의 끝과 하락의 끝이 어디인지 정확히 예측할 수는 없습니다. 대세 상승장이 펼쳐지는 순간에도 작은 규모의 하락은 수도 없이 발생하죠. 예상을 뛰어넘는 강한 하락이 발생해야만 '아! 이제 상승장이 끝났구나'를 실감합니다. 최근에 있었던 1년 8개월의 상승장도 그랬습니다. 주가가 한없이 오를 때는 모두가 오르는 방향만 쳐다보고 있었죠.

상승 끝에 찾아온 하락장을 경험한 투자자는 고점일 때 팔고 떠나지 못한 걸 후회하곤 합니다. 원래 답안지를 먼저 보고 문제를 보면 쉬워 보이는 법입니다. 스스로는 절대 풀지 못할 문제였는데도 답안지를 확인한 뒤에는 언제 그랬냐는 듯 "쉬운 문제를 못 풀었다"며 아쉬워합니다. 이미 지나간 주가 차트를 보면 누구든 저점과 고점을 쉽게 찾을 수 있습니다. 그렇게 스스로 저점과 고점을 예측할 수 있다고 믿으며 이리저리 옮겨 다니는 투자자가 많지만, 결과는 어떨까요? 한자리에 오랫동안 머무르는 것보다 결과가 좋지 못할 때가 많습니다. 이를 뒷받침하는 미국 최대 은행 J.P.모건의 연구 결과가 있습니다.

다음 이미지는 S&P500(미국 신용평가사 S&P가 뉴욕증권거래소와 나스닥을 대표하는 500개 종목을 선정해 발표하는 지수)에 2002년 4월부터 2022년 4월까지 20년간 장기 투자했을 때의 결과를 보여주는 그래프입니다. 20년간 주식시장에 꾸준히 머무른 투자자는 연평균 9.15퍼센트의 수익률을 보였습니다. 하지만 수익률이 가장 좋았던 단 10일간 주식시장을 떠나 있었다면 수익률은 4.98퍼센트로 곤두박질치죠. 20일을 떠나 있었다면 2.28퍼센트, 30일을 떠나 있었다면 0.09퍼센트가 됩니다. 20년간 주식시장이 열렸던 날은 5000일이 넘습니다. 그 긴 기간 중 단 30일을 놓쳤을 뿐인데 19년 11개월

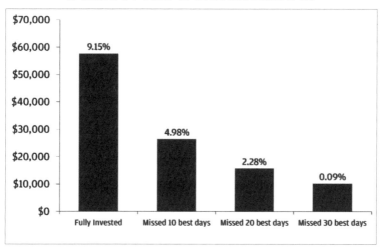

S&P500에 20년간 장기 투자했을 경우
(투자금 1만 달러, 주식시장을 떠난 기간 0일, 10일, 20일, 30일 가정)

출처: J.P.모건(2022.5)

의 투자 수익률이 0퍼센트에 가까워진 것이죠.

더 큰 수익을 위해 이리저리 옮겨 다니다 보면 큰 기회를 놓칠 가능성이 되레 높아집니다. 차라리 한자리에 오랫동안 머물면서 안정적인 수익을 만들어갈 수 있는 방법을 찾는 게 더 현명한 선택일지도 모릅니다. 그럼에도 불구하고 대부분의 투자자는 주식시장에 오래 머무르지 못하고 떠났다가 돌아오기를 반복합니다. 시세차익에 초점을 맞추기 때문입니다.

저가 매수와 고가 매도를 통해 얻는 이익을 시세차익이라고 부릅니다. 시세차익에 대한 열망이 큰 투자자에게는 하락장과 횡보장이 수익률을 떨어뜨리는 비효율적인 시간처럼 느껴질 겁니다. 상승장은 최대한 누리고 하락장과 횡보장은 피하는 게 시세차익을 극대화하는 최고의 전략이라 여기기 때문이죠. 그래서 하락장과 횡보장이 오면 주식시장을 잠시 떠나지만, 이때 갑자기 시작되는 상승장까지 함께 피하게 되는 경우가 많습니다. 그 누구도 가늠할 수 없는 저점과 고점을 예측하며 매수와 매도를 반복하는 일이야말로 자신의 능력을 과대평가하는 일이 아닐까요?

저는 예금 금리가 높아졌다는 이유로 보유하고 있던 주식을 모두 매도하면서까지 예금을 늘려가고 싶지 않습니다. 연 5퍼센트 이상의 예금 금리가 지속되지 않을 테니까요. 효율을 따지면서 투자 대상을 자주 바꾸다 보면 놓쳐서는 안 될 좋은 흐름까지 지나칠 수 있습니다. 상승장이 펼쳐질 때는 누구나 쉽게 장기 투자를 다짐합니다. 하지만 하락장과 횡보장이 길어지면 초심을 잃게 되죠. 그때 마인드컨트롤을 잘해야 합니다. 큰 상승은 예기치 못한 상황에서 불현듯 찾아오는 경우가 많습니다. 불안을 이기지 못해 떠나간 사람은 커다란 상승의 기쁨을 누릴 수 없습니다. 상승 흐름에 제대로 올라타고 싶다면 어떠한 순간에도 주식시장을 완전히 떠나서는 안 됩니다.

주가 하락을 두려워하지 말 것

하루라도 빨리 경제적 자유를 누리고 싶은 것이 모든 투자자의 마음일 겁니다. 다만 배당연금 파이프라인은 구축하기까지 절대적인 시간이 필요합니다. 시세차익으로는 짧은 기간에도 2~3배 또는 그 이상의 수익을 낼 가능성이 있지만, 그에 비해 배당 수익은 조금씩 천천히 쌓여갑니다. 빨리 성공하고 싶은 마음일수록 배당 수익보다 시세차익에 자연히 눈길이 가겠죠. 확실한 건 그 화끈한 한 방이 시세차익을 노리는 투자자를 성공으로 이끌지, 실패로 이끌지 알 수 없다는 겁니다.

시세차익으로 꾸준히 수익을 낼 수 있으리란 희망을 품고 시세차익과 배당 수익을 비교하는 사람이 많습니다. 시세차익과 배당 수익을 단순히 숫자로만 비교해서는 안 됩니다. 배당 수익은 확실히 보장되는 수익인 데 반해 시세차익은 그렇지 않기 때문입니다.

매년 안정적으로 배당금을 늘려온 배당 성장주에 투자해 올해 연 3퍼센트의 배당금을 받았다면, 내년에는 연 3퍼센트보다 높은 배당 수익률을 누리게 될 가능성이 큽니다. 전년도보다 조금이라도 높은 배당 수익을 보장받는 것이죠. 그렇지만 시세차익은 배당 수익만큼 안정적이지 않습니다. 올해 20퍼센트의 시세차익을 얻었다고 내년에도 그러리라는 보장은 그 어디에도 없습니다. 다음 해에 20퍼센트 이상 주가가 하락해 올해 얻었던 수익까지 모두 잃을 가능성도 충분히 존재하죠. 단순히 3과 20이라는 숫자를 비교하면 3이 하찮게 보일 수 있지만 '지속 가능한 3'과 '일시적인 20'이라는 부연이 붙는다면 이야기는 완전히 달라집니다. 장기적인 관점에서는 숫자의 크기보다 지속 가능성이 훨씬 중요합니다.

저점 매수와 고점 매도를 반복할 수만 있다면 시세차익으로 단기간에 엄청난 부자가 될 수 있습니다. 그렇지만 저점 매수와 고점 매도를 평생에 걸쳐 반복할 수 있는 능력을 갖춘 사람은 그 어디에도 없습니다. 시세차익으로 반복해서 성공하기가 사실상 불가능에 가까운 이유를 함께 보겠습니다. 시세차익으로 의미 있는 수익을 내기 위해서는 반드시 이 3단계를 거쳐야 합니다.

- 1단계: 좋은 종목 선정
- 2단계: 저점 매수
- 3단계: 고점 매도

3단계 중 어느 하나라도 문제가 발생하면 예상치 못한 큰 손실이 발생합니다. 제가 경험한 믿기지 않을 만큼 극단적인 사례가 하나 있습니다. 2020년 11월, 나스닥에 상장한 중국의 이항을 매수했습니다. 이항은 중국의 도심항공교통을 대표하는 종목입니다. 모두가 연료 전환에 주목하며 전기차에 열광할 때 저는 조금 더 먼 미래를 내다보며 운송 공간의 전환에 주목했습니다. 당시에는 도심항공교통 산업이 투자자에게 잘 알려지지 않은 상태였기 때문에 2030년까지 보유하겠다는 장기적인 계획을 가지고 매수를 했습니다. 서두르지 않았는데도 8.3달러라는 저점 매수에 성공했죠. 1단계와 2단계까지 순조롭게 진행된 겁니다.

이후 이항의 주가는 4개월 만에 129.8달러까지 치솟았습니다. 수익률이 무려 1400퍼센트가 넘은 겁니다. 매도 욕구를 참으며 끝까지 버텼고, 하루에 1000만 원 이상씩 평가 금액이 오르고 떨어지고를 반복하며 1억 원 이상의 차익이 생겼습니다. 문제는 그다음이었습니다. 주가가 흔들리기 시작하더니 2022년 10월에는 3.32달러까지 급락했습니다. 고점 대비 −97.5퍼센트까지 주가가 하락한 겁니다. 단 2년 만에 +1400퍼센트의 기쁨과 −97.5퍼센트의 절망을 모두 느낀 것이죠. 마지막 3단계인 고점 매도에 실패했을 뿐인데 순식간에 1억 원 이상의 수익을 날려버렸습니다.

어마어마한 수익이 한순간에 물거품이 된 상황을 비교적 젊은 나이에 경험한 것을 저는 행운이라고 생각합니다. 만약 기적적으로 1400퍼센트 수익을 내고 있을 때 매도했다면 저의 매수·매도 능력을 높이 평가하며 겸손을 잃었을지도 모릅니다. 운이 좋아 큰 시세차익을 얻었어도 영원히 지키기란 어렵다는 진리를 실전에서 제대로 배울 수 있었습니다.

주식시장에서 1~2번 큰 수익을 내는 건 비교적 자주 있을 수 있는 일입니다. 어쩌다 운이 따라줄 테니까요. 그러나 그 운도 우리가 통제할 수 있는 부분이 아닙니다. 투자의 세계에서 행운이 차지하는 역할이 생각보다 크다는 것을 인정하면 자만으로 인한 실패는 거의 없을 겁니다.

평범한 개인 투자자가 3단계를 평생 반복하면서 운이 아닌 실력으로 꾸준히 시세차익을 창출하기란 불가능합니다. 상승장에서는 모든 단계가 수월하게 흘러갈지 몰라도 하락장이나 횡보장에서는 쉽지 않을 겁니다. 시장 전체가 하락세일 때 흐름을 역행하기란 어려울 테니까요. 대부분의 투자자는 성공적인 투자를 위해서 상승장을 잘 보내야 한다고 생각하겠지만, 제 생각은 다릅니다. 오히려 하락장과 횡보장을 잘 보내야 합니다.

"경기가 좋은 해에는 평균 수익만으로도 충분하다. 이때는 모두가 수익을 낸다. 이처럼 시장 성과가 좋을 때 시장을 이기는 것이 왜 중요한지 누군가 설득력 있게 설명하는 것을 나는 아직 들어보지 못했다. 다시 한번 말하지만, 호경기에는 평균이면 충분하다. 그러나 시장을 꼭 이겨야 할 때가 있는데, 바로 불황인 해다." _《투자에 대한 생각》(2012, 비즈니스맵)

가치 투자의 대가로 불리는 전설적인 투자자 하워드 막스Howard Marks의 말입니다. 실제로 월가에서 인정하는 투자 대가들이 상승장에서 최고 수익률을 기록한 경우는 없습니다. 매년 최고 수익률을 내지 않는데도 그들은 최고의 자리를 지키고 있죠. 더 빨리 더 높은 수익률을 얻기 위해 부단히 노력한 투자자는 오히려 주식시장에서 씁쓸한 퇴장을 맞이하고, 과한 욕심을 버리고 큰 실패 없이 끝까지 무던하게 살아남는 자는 결국 최고가 됩니다. 방어가 곧 완벽한 공격인 셈이죠. 2000년부터 2015년까지 나스닥 종합 차트를 보면 불황에 대한 철저한 대비가 필요하다는 점을 깨닫게 됩니다. 2000년 고점에 매수했다면 15년간 장기 보유해도 시세차익으로 인한 수익이 거의 0퍼센트라는 사실을 알 수 있습니다.

주가 하락 후 원점으로 돌아오기까지 15년이 걸렸다는 사실을

출처: 트레이딩뷰

알고 있는 상태에서 이 차트를 보아도 숨이 막히는데, 하락장과 횡보장이 15년이나 이어질지 모르는 그때 당시에는 과연 어땠을까요? 아마도 긴 시간 동안 불안에 떨며 살았겠죠. 만일 잘 버텼다 하더라도 본인이 10년 전에 매수한 가격보다 낮은 가격에 거래되고 있다면 지난 10년간은 아무런 수익을 창출해내지 못한 것이나 다름없으니 투자자 입장에서는 무의미한 시간이었을 겁니다.

시세차익에 초점을 두고 있는 투자자는 하락장과 횡보장이 길어질수록 초조해집니다. 시간이 아무리 흘러도 본인이 매수한 금액보다 주가가 높게 형성되지 않으면 수익을 낼 수 없기 때문이죠. 주가가 오르기를 하염없이 기다리다 보면 자연스레 주가에 영향을 주는 온갖 경제 이슈에 마음이 흔들리고 말 겁니다. 한 치 앞도 모르는 상황이라면 당연히 추가 매수도 망설이게 되겠죠. 추가 매수 후 더 깊은 하락이 이어지면 손실액이 더 커질 테니까요. 배당 수익의 경우는 다릅니다. 주가가 크게 하락하면 이전보다 싼 값에 수량을 늘릴 수 있습니다. 추가 매수해서 수량을 늘리면 곧 배당 수익 증가로 이어집니다. 배당 수익에는 마이너스가 없습니다. 아무리 하락장과 횡보장이 길어도 보유한 수량만큼 수익은 꾸준하게 창출되죠. 배당금을 재투자해서 수량을 늘리면, 다음번에 지급되는 배당금은 이전보다 더 커집니다. 주가가 하락할수록 배당 수익을 크게 불려나갈 수 있으므로 주가 하락이 마냥 꺼려지지 않습니다.

하락장과 횡보장이 두려운 이유는 시세차익에만 초점을 맞추고 있기 때문입니다. 배당 수익에 초점을 맞추면 배당 수익을 안정적으로 확보해나갈 수 있는 기분 좋은 시간으로 여겨질 겁니다. 다시 말해 주가 하락은 곧 배당 수익을 극대화할 수 있는 최고의 기회가 되는 셈이죠. 저가에 수량을 모아 열심히 배당 수익을 늘리다 보면 언젠가는 상승장이 찾아옵니다. 상승장이 찾아오면 하락장 때만큼 배당 수익을 크게 늘려나갈 수는 없더라도 보유하고 있는 배당 성장주의 자산 가치는 반드시 커질 겁니다. 따라서 배당 수익에 초점을 맞춘 투자자는 상승장뿐만 아니라 횡보장, 심지어 하락장까지 모두 의미 있는 시간입니다.

주식시장을 떠나지 않고 오랫동안 남아 있으려면 수익을 지속적으로 창출할 수 있어야 합니다. 저는 그 해답을 배당에서 찾았습니다. '시세차익 중심, 배당 수익은 덤'이라는 일반적인 관념에서 벗어나 '배당 수익 중심, 시세차익은 덤'으로 관점을 바꿀 필요가 있습니다. 우리가 주식시장에서 평생 살아남을 수 있는 가장 현실적인 방법은 배당 성장주 수량을 꾸준히 늘려 배당 수익을 극대화하는 겁니다. 배당연금 투자는 인내와 끈기만 있다면 누구나 수익을 낼 수 있는 가장 쉬운 투자법입니다.

신뢰를 중요시하는 기업과 함께할 것

투자한 기업이 배당금을 꾸준히 지급하지 않으면 배당연금 투자는 불가능합니다. 좋은 예가 하나 있습니다.

저는 2020년 5월 25일부터 효성첨단소재라는 국내 기업에 투자해왔습니다. 종목 추천이 아니므로 기업에 대한 소개는 생략하고 배당에 관한 이야기만 나누겠습니다. 8만 원대부터 매수를 시작했는데, 조금씩 수량을 늘리다 보니 평균 매수가가 11만 5000원이 됐습니다. 효성첨단소재는 2022년 4월 4일에 1주당 1만 원의 배당금을 지급했습니다. 공시된 배당 수익률은 1.6퍼센트였죠. 당시 주가가 60만 원 근처였기 때문입니다. 1주를 60만 원에 매수했다면 1.6퍼센트의 배당 수익을 얻게 되겠죠. 하지만 저는 2년 전에 그보다 훨씬 싼 가격에 매수했기 때문에 배당 수익률은 8.7퍼센트에 달했습니다. 단돈 300만 원을 투자하고 2년간 보유한 결과, 평가액은 1000만 원을 넘어섰고 26만 원의 배당금까지 받았습니다. 주가는 주가대로 크게 올랐고 배당 수익도 쏠쏠하니 어설프게 샀다 팔았다를 반복하는 것보단 훨씬 좋은 선택이었습니다.

그로부터 1년이 흘렀습니다. 효성첨단소재는 2023년 배당금으로 1주당 1만 5000원을 지급한다고 공시했습니다. 2022년 배당금보다 50퍼센트나 상승한 금액입니다. 2022년은 특히 깊은 하락장으로 인해 많은 투자자들이 힘들어한 시기입니다. 그럼에도 불구하고 효성첨단소재의 배당 수익률은 13퍼센트까지 치솟았습니다. 여기서 짚고 넘어가야 할 것이 있습니다. 저는 이 모든 것을 미리 알

효성첨단소재 배당연금 투자 자료
(2022년)

	배당금 공시 자료	실제 투자 내역
매수가	60만 원	11만 5000원(평균가)
배당금	1만 원	1만 원
배당 수익률	1.6%	8.7%
주가 상승률	-	+421%

았을까요? 솔직히 아닙니다. 효성첨단소재가 배당금을 늘릴 것이란 믿음도 전혀 없었습니다. 효성첨단소재는 2018년에 상장한 이후 3년 연속 배당금을 지급하지 않았고, 2022년에 처음으로 1만 원의 배당금을 지급하기 시작했죠. 거기다 영업 이익이 2022년 대비 30퍼센트 가까이 감소했으니 배당금을 줄이거나 지급하지 않아도 전혀 이상하지 않은 상황이었습니다.

그럼 앞으로도 계속해서 배당 성장이 이뤄질까요? 이 역시 확답하기 어렵습니다. 국내에는 몇 년 연속 배당금을 지급하다 갑자기 배당금을 줄이거나 지급을 아예 중지한 사례가 정말 많습니다. 멀리서 찾을 것도 없습니다. 효성첨단소재와 같은 그룹에 속한 효성화학이 바로 그 예입니다. 효성화학은 2019년에는 1주당 1000원의 배당금을 지급했고, 2020년에는 1주당 5000원의 배당금을 지급했습니다. 2021년에도 배당 성장이 이뤄지리라 기대하며 1주당 10만 원에 매수했는데, 효성화학은 돌연 배당금 지급을 중지했습니다.

안타깝게도 국내 기업 중 주주와의 신뢰와 주주환원의 가치를 중요하게 생각하는 기업을 찾기란 쉽지 않습니다. 반면 미국에는 배당 성장의 역사가 긴 기업이 많습니다. 배당 성장의 역사가 길다는 건 위기 상황에서도 꾸준히 배당금을 지급해왔다는 의미이며, 주주와의 약속을 중요하게 여기는 기업이라는 뜻이기도 합니다. 배당연금 투자는 기업을 믿고 오랫동안 함께하는 것이 핵심입니다. 기업과 주주 간의 신뢰가 형성돼야 한다는 것이죠. 하지만 국내 기업의 배당 성장을 신뢰하기에는 아직 이른 감이 있습니다. 전반적으로 배당 성장 역사가 매우 짧습니다. 미국 기업과 비교하면 그 차이는 더욱 확연히 드러납니다.

미국에는 수십 년에 걸쳐 배당금을 늘려온 기업이 수두룩합니다. 배당 성장 기간에 따라 별칭을 붙이는 문화도 있을 정도입니다. 중요한 내용만 간단히 짚고 넘어가겠습니다. 하나의 기업이 50년 이상 시장에서 살아남는 것도 보통 일이 아닙니다. 50년 이상 꾸준히 배당금을 늘리는 건 두말할 것도 없겠죠. 그런데 2023년 2월 기준으로 이런 대단한 기록을 보유하고 있는 기업이 49개가 있습니다. 해마다 개수는 조금씩 변합니다. 50년 기준을 채워 새롭게 '배당 왕Dividend Kings'이 되는 기업도 있고, 배당금을 늘리지 못하거나 다른 기업에 인수돼 탈락하는 기업도 간혹 있습니다. 탈락이 흔한 사례는 아니기에 일반적으로는 매년 개수가 늘어납니다.

25년 이상 배당금을 늘린 기업은 150여 개지만, 이 중 S&P500에 포함된 68개 기업에만 '배당 귀족Dividend Aristocrats'이란 별칭을 붙입니다. 하나의 기업이 반드시 하나의 별칭만 가져야 하는 건 아닙니다. 코카콜라는 50년 이상 배당금을 늘려온 '배당 왕'입니다. 또한 '배당 귀족'이기도 하고 '배당 성취자Dividend Achiever'이기도 합니

연속 배당 성장 기간에 따라 달라지는 별칭

별칭	연속 배당 성장 기간	해당 기업 수 (2023년 2월 기준)	기업명
배당 왕	50년 이상	49개	코카콜라, 펩시코, 애브비, 존슨앤존슨 등 (S&P500에 포함되지 않아도 됨)
배당 귀족	25년 이상	68개	리얼티인컴, 앨버말, IBM, 넥스트에라에너지 등 (S&P500에 포함돼야 함)
배당 성취자	10년 이상	347개	마이크로소프트, J.P.모건, 유나이티드헬스 등

다. 세 그룹에 속할 요건을 모두 충족한다면 가장 영광스러운 이름인 '배당 왕'으로 언급되는 것이 일반적입니다.

미국에는 배당 성장 종목이 많을 뿐 아니라 배당 성장을 중시하는 문화가 있다는 것이 가장 큰 메리트라 할 수 있습니다. 그들은 배당금을 한 번이라도 줄이는 순간 별칭도 내려놓아야 합니다. 단순히 별칭만 내려놓는 게 아닙니다. 그동안 쌓아온 기업과 주주 간의 신뢰도 함께 내려놓아야 합니다. 다시 말해 위기 상황에서도 배당금을 줄이지 않는다는 건 기업의 건재함을 알리는 신호이며, 오랜 시간 배당금을 늘려오면서 부여받은 별칭은 기업의 자부심이기도 하죠. 이러한 이유들로 미국 기업은 배당금을 늘려나가기 위해 노력합니다.

배당연금 투자의 기본은 신뢰입니다. 배당 성장을 위해 기업도 부단히 노력하고 있다는 굳건한 믿음이 있기에 미국 배당주에 투자할 때는 마음이 편합니다. 그에 비해 국내 종목을 매수할 때는 좀처럼 믿음을 갖기가 어렵습니다. 기업과 주주 간의 신뢰를 중요시하는 문화가 제대로 자리 잡혀 있지 않을뿐더러, 벌어들인 이익을 주주와 함께 나누는 주주 환원에 대한 인식도 현저히 부족합니다. 이 문제점들이 해결되기 전까지는 국내가 아닌 미국 배당주를 적극적으로 활용해 배당연금 파이프라인을 만들 계획입니다. 절대로 잊지 마십시오. 우리가 투자할 대상은 반드시 배당 성장의 역사에 스스로 자부심을 느끼는 기업이어야 한다는 사실을요.

반드시 알아야 할 배당연금 투자 필수 지식

배당 용어는 한글과 영어 모두 기억해두는 게 좋습니다. 국내 배당주뿐만 아니라 해외 배당주 정보까지 얻기 위해서입니다. 영어 울렁증이 있어도 걱정할 필요가 전혀 없습니다. 기억해야 할 용어는 몇 개밖에 되지 않습니다.

배당 정보를 얻을 수 있는 웹사이트 중에서 제가 가장 자주 활용하는 사이트는 앞서 언급한 시킹알파입니다. 시킹알파는 PC뿐만 아니라 스마트폰으로도 이용할 수 있습니다. 유료 정보도 있지만 무료로도 충분히 유의미한 정보를 얻을 수 있습니다. 아직 스마트폰에 앱이 없다면 지금 바로 설치하세요. 그럼 앱이 있다고 가정하고 본격적으로 필수 용어를 알아보겠습니다.

검색창에 'SBUX'라고 입력해보세요. SBUX는 스타벅스의 티커

(Ticker, 기업 종목의 약어)입니다. 자신이 관심에 두고 있는 종목의 티커는 외워두면 좋습니다.

스타벅스의 배당 정보 요약(이미지 참고)을 차례로 살펴보겠습니다. Div Yield(FWD)에서 Div는 배당의 줄임말이고, Yield는 수익률을 의미합니다. 즉 Div Yield는 배당 수익률입니다. FWD는 forward의 약자로 향후 12개월을 의미합니다. Div Yield(FWD)가 2.06퍼센트라는 말은 스타벅스의 향후 12개월간 예상 배당 수익률이 2.06퍼센트라는 뜻입니다.

그 아래에 있는 Annual Payout(FWD)은 향후 12개월간 받게 될

스타벅스의 배당 정보 요약

Dividend Summary	
Div Yield (FWD)	2.06%
Annual Payout (FWD)	$2.12
Payout Ratio	68.23%
5 Year Growth Rate	13.15%
Dividend Growth	12 Years

출처: 시킹알파(2023.3)

연 배당금을 의미합니다. 다시 말해 연 예상 배당금은 2.12달러인 것이죠. 스타벅스는 1년에 4번의 배당금을 지급합니다. 2023년 가장 최근에 지급한 배당금은 0.53달러였습니다. 앞으로 4번 모두 같은 금액을 지급할 것이라고 가정한 뒤 4를 곱한 2.12달러를 1년 동안 받게 될 예상 배당금으로 산출한 것이죠. 스타벅스는 매년 조금씩 배당금을 늘려왔기 때문에 실제 배당금은 2.12달러보다 조금 더 많을 겁니다. 이처럼 웹사이트에 나와 있는 예상 배당금은 실제와 조금 차이가 날 수 있다는 점을 염두에 둬야 합니다. 배당 정보를 스스로 찾고 계산해보는 연습을 자주 하다 보면 잘못된 정보나 오류를 쉽게 발견할 수 있습니다.

　Payout Ratio는 배당 성향을 의미합니다. 쉽게 말해 기업이 벌어들인 돈(당기순이익) 중 어느 정도의 비율을 배당금으로 지급하는지를 나타낸 수치입니다. Payout Ratio가 68.23퍼센트라는 건 순수하게 남은 이익의 68.23퍼센트를 주주에게 배당금으로 나눠준다는 걸 의미하죠. 배당 성향이 높다고 무조건 좋은 것도 아니고 낮다고 나쁜 것도 아닙니다. 배당 성향이 지나치게 높다면 기업이 성장을 위한 투자를 하지 않고 있는 것일 수 있습니다. 반대로 배당 성향이 낮은 경우에는 주주환원이 미흡한 기업일 수도 있지만 그만큼 성장 여력이 충분하다고도 볼 수 있습니다. 따라서 배당 성향만으로 좋은지 나쁜지를 판가름하기에는 다소 무리가 있습니다.

5 Year Growth Rate는 지난 5년 동안의 배당 성장률을 의미합니다. 스타벅스는 지난 5년간 배당금이 연평균 13.15퍼센트씩 증가했다는 것이죠. 연평균 10퍼센트 이상씩 배당금을 늘려서 지급하는 건 결코 쉬운 일이 아닙니다. 기업이 벌어들이는 이익이 매년 증가해야만 배당금을 무리 없이 늘릴 수 있기 때문이죠. 반대의 경우에 대입하자면, 이익 성장이 멈추거나 역성장하는 기업은 배당 성장률이 낮고 주가 흐름도 당연히 좋지 않을 겁니다. 배당 성장률과 기업의 성장 속도는 서로 비례한다는 점을 토대로 비춰본다면, 배당 성장률은 다른 항목에 비해 특별히 더 신경 써서 보기를 추천합니다.

Dividend Growth가 12 years라는 건 12년 동안 꾸준히 배당 성장해왔다는 걸 의미합니다. 이익이 줄어들거나 위기 상황이 발생하면 배당금을 줄여서 지급하는 기업도 많습니다. 하지만 스타벅스는 12년 동안 꾸준히 배당금을 높여왔으니 관심을 가져볼 만한 배당 성장주입니다.

다음 이미지는 최근 배당금 공시 내역입니다. 마찬가지로 차례로 살펴보겠습니다. Amount은 액수를 의미합니다. 이를 통해 배당금 0.53달러가 지급되었다는 사실을 확인할 수 있습니다.

Ex-Div Date는 배당락일을 의미합니다. 배당락일은 배당받을 권리가 사라지는 날입니다. 배당금은 배당락 전날까지 매수 주문이

Last Announced Dividend

Amount	$0.53
Ex-Div Date	02/09/2023
Payout Date	02/24/2023
Record Date	02/10/2023
Declare Date	11/30/2022
Div Frequency	Quarterly

출처: 시킹알파(2023.2)

체결돼야 받을 수 있습니다. 첨부한 이미지 속 배당락일은 2023년 2월 9일입니다. 그렇다면 늦어도 2023년 2월 8일까지는 매수 주문이 체결돼야 합니다.

Payout Date는 배당 지급일을 의미합니다. 2023년 2월 8일 이전에 매수했다면 배당 지급일인 2023년 2월 24일에 배당금을 받게 됩니다.

Record Date는 배당 기준일입니다. 일반적으로 배당락일의 하루

뒤(영업일 기준)입니다. 이날 주주 명부에 등록돼 있어야 배당금을 받을 수 있습니다. 헷갈릴 수 있으니 배당 기준일보다는 배당락일을 기준으로 매수해야 한다는 사실만 기억하십시오.

Declare Date는 배당을 발표한 날짜입니다. 배당금을 언제, 얼마나 지급할 것인지를 공시한 날이죠.

Div Frequency는 배당 지급 주기를 의미합니다. 얼마나 자주 배당금을 지급하는지를 알 수 있는 부분이므로 꼭 확인하십시오. 여기서 Quarterly는 분기 배당을 의미합니다. 앞서 말했듯 스타벅스는 1년에 총 4번의 배당금을 지급합니다. 매월 배당금을 지급하는 월 배당일 때는 Monthly, 1년에 2번 배당금을 지급하는 반기 배당은 Semi-Annually, 1년에 1번 배당금을 지급하는 연 배당은 Annually로 안내합니다. 배당 지급 주기에 관심을 가져야 하는 이유를 예를 들어 설명하겠습니다.

2021년 기업은행의 배당 수익률은 7.57퍼센트였습니다. 대표적인 국내 고배당주죠. 기업은행은 연 1회 배당금을 지급합니다. 1년을 꾸준히 보유해야만 배당금을 받을 수 있는 자격이 주어진다는 말이 아닙니다. 다시 한번 강조합니다. 기준은 배당락일 하루 전입니다. 그러므로 배당락일 하루 전에 매수만 하면 단 하루만 보유해도 7퍼센트가 넘는 배당금을 받을 수 있습니다. 2022년, 어떤 일이 발생했는지 보겠습니다.

배당락일 이후 무너진 기업은행의 주가

출처: 나무증권 앱(2022.12)

기업은행의 배당락일은 2022년 12월 28일이었습니다. 하루 전인 27일까지 매수하기만 하면 누구나 배당을 받을 수 있는 권리가 생기죠. 그렇게 배당금을 받기 위해 들어왔던 투자자가 배당락일부터 썰물처럼 빠져나가면서 주가가 급격히 하락했습니다. 단 하루만에 10퍼센트가 넘는 엄청난 하락이 발생한 것이죠. 단기간에 배당 수익을 얻겠다는 욕심으로 매수한다면 그보다 더 큰 손실이 따를 수도 있다는 점을 알아둬야 합니다.

이처럼 연 1회 고배당을 지급하는 종목에는 배당락일이 다가오면 단기적 목표로 매수와 매도를 시도하는 투자자가 대거 유입됩니다. 반대로 매월 배당금을 지급하는 기업이라면 해당 기업의 주식을 장기 보유하며 안정적으로 매월 배당금을 받고자 하는 투자자가 모여듭니다. 배당금을 꾸준히 받겠다는 장기적인 목표로 투자하는 사람이 많을수록 주가는 안정적으로 흘러갑니다. 같은 이유로 연 1회 배당금을 지급하는 종목보다 분기마다 배당금을 지급하는 종목의 주가가 훨씬 안정적입니다. 국내 기업은 대부분 연 1회 배당금을 지급하고 있습니다. 반면 미국 기업 대부분은 분기 배당을 실시하고 있죠. 최근 국내에서도 분기 배당을 목표로 한 기업이 늘고 있기는 하나 여전히 미흡한 점이 많습니다.

2부

BUILD UP

배당 성장 포트폴리오 구성하기

01

개별 종목으로 쉴 새 없이 배당받기

우리 가족의 투자 대전환기

혼자 걸으면 힘들고 지겹게 느껴지는 길도 마음 맞는 사람과 함께 걸으면 아쉬울 만큼 짧고 즐겁게 느껴집니다. 주식 투자도 마찬가지입니다. 빠른 판단이 요구되는 단기 투자는 혼자서 움직이는 게 더 효율적일 수 있습니다. 하지만 장기 투자는 다릅니다. 목표 지점이 멀기 때문에 신중한 판단과 인내 그리고 끈기가 성공에 더 큰 영향을 미칩니다. 개인 투자자가 장기 투자에 실패하는 가장 큰 이유는 목표 지점에 빨리 도달하려다 도중에 지치기 때문입니다. 여유를 갖고 함께 걸을 동반자가 필요한 이유입니다. 중요한 건 목표가 같고 마음도 맞는 동반자여야 한다는 겁니다. 저는 동반자를 가장 가까운 곳에서 찾았습니다. 바로 가족입니다.

혼자였다면 조금이라도 빨리 도착하기 위해 안간힘을 썼을 겁니다. 그러나 지금 제 목표는 빠른 완주가 아닙니다. 온 가족이 함께 노력해나가는 그 자체이며, 소중한 사람과 같은 곳을 바라보며 이야기 나누는 시간이 즐겁길 바랍니다. 말하자면 그 과정에서 오는 행복이 목표인 셈입니다. 그렇게 소소한 행복을 조금씩 누리다 보면 서두르지 않아도 목표에 충분히 다다를 수 있다고 믿습니다. 투자의 세계에서는 중도 포기하는 사람이 많습니다. 그렇기에 더더욱 저는 빨리 가는 것보다 완주가 더 중요하다고 생각합니다.

동반자가 반드시 가족일 필요는 없습니다. 아무리 가족일지라도 투자에 관한 관점은 다를 수 있기 때문이죠. 서로 다른 마음을 가진 채 함께 걷는 것보다는 서로의 길을 응원하며 각자 걷는 것이 더 나은 선택일 수 있습니다. 제 아버지는 주식 투자에 전혀 관심이 없습니다. 본인에게 투기 성향이 있다며 아예 손도 대지 않겠다고 선언했습니다. 저는 아버지의 선택을 존중합니다. 아버지 또한 저와 어머니의 투자를 언제나 응원합니다. 가진 생각은 달라도 믿고 지켜보는 것이죠.

저는 어머니, 아내 그리고 사회초년생인 동생과 함께 배당연금을 꾸준히 늘려가고 있습니다. 처음에는 어머니와 함께 시세차익 중심의 성장주 투자를 시도했었습니다. 그런데 같은 종목에 투자했는데도 매수와 매도 타이밍에 따라 시세차익이 크게 달라지는 경우가 많았습니다. 저는 고점 매도를 통해 수익을 내도, 어머니는 매도 시점을 놓쳐 손실을 보는 일이 종종 발생했죠. 이런 상황이 몇 번 반복되다 보니 시세차익 중심의 성장주 투자는 온 가족이 마음 편히 할 수 있는 투자가 아니라는 판단이 들었습니다.

목표를 배당연금 만들기로 바꾼 이후로 저와 어머니 모두 이전보다 훨씬 편안한 마음으로 투자를 이어가고 있습니다. 어머니는 매수와 매도 타이밍을 놓치지 않기 위해 더 이상 신경을 곤두세우지 않습니다. 여유자금이 생겨날 때마다 배당 성장주 수량을 늘려가기만 하면 되기 때문이죠. 새로운 종목을 찾기 위해 아까운 시간을 쏟아부을 필요도 없습니다. 시세차익 대신 배당연금에 초점을 맞추면서 좋은 종목을 매도해야 할 이유도, 부담도 함께 사라졌습니다. 그저 배당연금을 만들어가는 데 온 집중을 다하고 있습니다.

유행 타지 않는 포트폴리오 만들기

2021년, 아내에게는 1억 원의 목돈이 있었습니다. 다행히 당장 큰돈 들 일이 없어 장기간 묻어둘 수 있었죠. 투자하기에 절호의 기회였으나 문제는 아내의 두려움이었습니다. 그동안 투자를 배운 적도, 경험해본 적도 없었던 터라 자산을 늘려가기보다 지키는 것에 중점을 두고 있었습니다. 그렇게 1억 원을 통장에 가만히 내버려뒀습니다. 10여 년 전의 저처럼 말입니다. 아내는 20대의 젊은 나이였기 때문에 돈과 시간을 제대로 활용하기만 하면 1억 원으로도 충분히 노후 대비를 할 수 있겠다 싶었습니다.

저의 판단은 그러했지만, 중요한 건 아내의 생각이었습니다. 평생 투자를 해나갈 주체는 제가 아닌 아내이기 때문이죠. 우선 어떤 설명과 조언보다도 배당받는 즐거움과 재미를 직접 느껴보는 것이 먼저라고 생각했습니다. 분기 배당을 하는 20개의 개별 종목에 투자할 경우, 1년 동안 무려 80번의 배당금을 받게 됩니다. 1년 내내 쉴 새 없이 배당금을 받게 되죠. 개인적으로 종목을 과하게 나눠 투자하는 것을 선호하지는 않습니다. 하지만 아내의 1억 원을 제 돈 이상으로 소중하게 다루고 싶은 마음에, 아내의 성향에 맞춰 최대한 안전하게 분산 투자했습니다.

분산 투자를 할 때 '어떠한 기준으로 종목을 선정할까'가 가장 큰 고민이었습니다. 맨 첫 번째로 주의를 기울인 건 섹터(업종)의 분산입니다. 개인 투자자가 종목을 선정할 때 흔히 하는 실수가 바로 이 부분입니다. 비유를 하나 들어보겠습니다. 아버지의 학창 시절 사진을 보니 모든 학생이 나팔바지를 입고 있었습니다. 시간이 지나 제가 대학교를 다닐 무렵, 나팔바지는 부츠컷이라는 이름으로 다시 유행하기 시작했죠. 그 이후 한동안 유행은 돌아오지 않았습니다. 만약 부츠컷이 유행할 당시에 그 바지만 계속 샀다면 어떻게 됐을까요? 유행이 끝나는 순간 '입을 바지가 없다'라는 생각이 들 겁니다. 부츠컷(또는 나팔바지)의 시대가 돌아올 때까지 얼마나 기다려야 할지는 그 누구도 모릅니다. 그런데 만약 부츠컷이 유행이었던 시기에 부츠컷도 사고, 유행을 타지 않는 일자바지, 그리고 아직 유행이 오지 않은 스키니진, 배기팬츠, 카고팬츠, 슬랙스 등 다양한 종류의 바지를 구매했다면 어땠을까요? 부츠컷 유행 이후에 돌고 도는 유행을 모두 누릴 수 있겠죠. 이제 다양한 종류의 바지를 각각 하나의 섹터로 치환해보겠습니다.

섹터도 옷처럼 유행을 따르기 때문에, 한 종류에만 투자할 경우 오랜 기간 소외될 수 있습니다. 먼저 어떤 섹터가 있는지 살펴보겠습니다. 가장 대표적인 섹터 분류는 글로벌 지수 산출 기관 MSCI와 S&P가 개발한 GICS(글로벌 산업분류 기준) 방식입니다. GICS에 따르면 전 세계 상장사는 11개 섹터로 분류됩니다. 다음 표(90페이지 참고)로 최대한 간단하게 정리했으니 확인해보세요. 한번 알아두면 평생 써먹을 수 있을 겁니다.

2023년, 11개 섹터 중 어느 섹터의 주가가 가장 많이 오를까요? 많은 투자자가 이 질문에 대한 답을 찾기 위해 부단히 노력합니다. 1년만 투자하고 주식시장을 떠날 것이 아니라면 그다지 의미 있는 고민이 아니라는 것을 보여드리겠습니다.

다음 S&P500 섹터별 성과 이미지를 보면, 지난 15년 동안 11개

GICS의 11개 섹터 분류표

섹터	기업 특징
정보기술	IT(인터넷 서비스), 소프트웨어, 하드웨어, 반도체, 네트워크 기반 기업 (S&P500 시가총액 상위 기업 대거 포함)
금융	은행, 자산관리, 보험, 카드회사 및 핀테크 기업
헬스케어	제약, 의료, 생명과학, 건강관리 기업 (고령화로 인해 점점 더 주목받는 섹터)
임의소비재	자동차, 의류, 외식, 호텔, 여행 관련 기업 (경기 영향을 크게 받아 경기민감주로도 불림)
커뮤니케이션 서비스	2018년 9월 텔레커뮤니케이션(통신) 서비스 섹터가 커뮤니케이션 서비스 섹터로 확장 개편 (일부 IT 섹터 기업과 자유소비재 섹터 기업이 편입됨)
산업재	항공, 우주항공, 국방, 건설, 기계, 운송 인프라 관련 기업
필수소비재	식음료, 가정용품, 위생용품 등 생활필수품 관련 기업 (경기 영향을 덜 받아 경기방어주로도 불림)
에너지	석유, 가스를 포함한 에너지원의 정제, 생산, 운송 및 판매 관련 기업 (원유 가격 변동의 영향을 크게 받음)
소재	화학, 건축 자재, 금속, 종이 등 소재 전문 기업
유틸리티	전기, 가스, 수도 등 인프라 관련 기업
리츠(부동산)	부동산 투자 신탁, 부동산 관리 및 개발 등 부동산 관련 기업

S&P500 섹터별 성과
(2008~2022년 종합 자료)

S&P 500 Sector Performance

2008	2009	2010	2011	2012	2013	2014	2015	2016	2017	2018	2019	2020	2021	2022
CONS -15.4%	INFT 61.7%	REAL 32.3%	UTIL 19.9%	FINL 28.8%	COND 43.1%	REAL 30.2%	COND 10.1%	ENRS 27.4%	INFT 38.8%	HLTH 6.5%	INFT 50.3%	INFT 43.9%	ENRS 54.6%	ENRS 65.7%
HLTH -22.8%	MATR 48.6%	COND 27.7%	CONS 14.0%	COND 23.9%	HLTH 41.5%	UTIL 29.0%	HLTH 6.9%	TELS 23.5%	MATR 23.8%	UTIL 4.1%	TELS 32.7%	COND 33.3%	REAL 46.2%	UTIL 1.6%
UTIL -29.0%	COND 41.3%	INDU 26.7%	HLTH 12.7%	REAL 19.7%	INDU 40.7%	HLTH 25.3%	CONS 6.6%	FINL 22.8%	COND 23.0%	COND 0.8%	FINL 32.1%	TELS 23.6%	FINL 35.0%	CONS -0.6%
TELS -30.5%	REAL 27.1%	MATR 22.2%	REAL 11.4%	TELS 18.3%	FINL 35.6%	INFT 20.1%	INFT 5.9%	INDU 18.9%	FINL 22.2%	INFT -0.3%	S&P 31.5%	MATR 20.7%	INFT 34.5%	HLTH -2.0%
COND -33.5%	S&P 26.5%	ENRS 20.5%	TELS 6.3%	HLTH 17.9%	S&P 32.4%	CONS 16.2%	REAL 4.7%	MATR 16.2%	UTIL 22.1%	REAL -2.2%	INDU 29.4%	INDU 18.4%	S&P 28.7%	INDU -5.5%
ENRS -34.9%	INDU 20.9%	TELS 19.0%	COND 6.1%	S&P 16.0%	FINL 28.4%	FINL 15.2%	TELS 3.4%	UTIL 16.3%	S&P 21.8%	MATR -4.4%	REAL 29.0%	HLTH 13.5%	MATR 27.3%	FINL -10.5%
S&P -37.0%	HLTH 19.7%	S&P 15.1%	ENRS 4.7%	INDU 15.4%	CONS 26.1%	S&P 13.7%	S&P 1.4%	INFT 13.9%	INDU 21.0%	CONS -8.4%	COND 27.9%	S&P 11.1%	HLTH 26.1%	MATR -12.3%
INDU -39.9%	FINL 17.2%	CONS 14.1%	INFT 2.4%	MATR 15.0%	MATR 25.6%	INDU 9.8%	FINL -1.5%	S&P 12.0%	CONS 13.5%	TELS -12.5%	CONS 27.6%	CONS 10.8%	COND 24.4%	S&P -18.1%
REAL -42.3%	CONS 14.9%	FINL 12.1%	S&P 2.1%	INFT 14.8%	INDU 25.1%	COND 9.7%	INDU -2.5%	COND 6.0%	UTIL 12.1%	FINL -13.0%	INDU 26.4%	UTIL 0.5%	TELS 21.6%	REAL -26.1%
INFT -43.1%	ENRS 13.8%	INFT 10.2%	INDU -0.6%	CONS 10.8%	UTIL 13.2%	MATR 6.9%	UTIL -4.8%	CONS 5.4%	REAL 10.9%	INDU -13.3%	MATR 24.6%	FINL -1.7%	INDU 21.1%	INFT -28.2%
MATR -45.7%	UTIL 11.9%	UTIL 5.5%	MATR -9.6%	ENRS 4.6%	TELS 11.5%	TELS 3.0%	MATR -8.4%	REAL 3.4%	TELS -1.0%	MATR -14.7%	HLTH 20.8%	REAL -2.2%	CONS 18.6%	COND -37.0%
FINL -55.3%	TELS 8.9%	HLTH 2.9%	FINL -17.1%	UTIL 1.3%	REAL 1.6%	ENRS -7.8%	ENRS -21.1%	HLTH -2.7%	TELS -1.3%	ENRS -18.1%	UTIL 11.8%	ENRS -33.7%	UTIL 17.7%	COND -39.9%

출처: 노벨인베스터(2023)

섹터의 주가가 어떻게 움직여왔는지를 종합적으로 살펴볼 수 있습니다. 색깔별로 구분됐으며, 위쪽에 있을수록 높은 수익률을 기록한 섹터입니다. 예를 들어 2021년에는 상단 오른쪽 연두색으로 표시된 에너지 섹터 ENRS가 54.6퍼센트라는 가장 좋은 수익률을, 그 다음으로 분홍색으로 표시된 부동산 섹터 REAL, 파란색으로 표시된 금융 섹터 FINL가 순위권을 차지했습니다. 그런데 공교롭게도 2020년 수익률에서는 하위 1, 2, 3위를 기록한 섹터들입니다. 그렇다면 올해 수익률 꼴찌인 섹터에 투자하면 내년에는 최고의 성과를 얻게 될까요? 꼭 그렇지도 않습니다. 앞서 언급한 연두색 에너지 섹터 ENRS가 2018년, 2019년, 2020년에 연달아 수익률 최하위를 기록했기 때문이죠.

많은 투자자는 더 좋은 성과를 내기 위해 피나는 노력을 합니다. 주식시장에 숨어 있는 규칙을 찾으려는 연구도 그중 하나입니다. 그러나 아이러니하게도 주식시장에는 그 어떤 완벽한 규칙도 존재하지 않습니다. 설령 존재하더라도 개인의 노력으로는 절대 풀 수 없습니다. 기상청에는 일기예보 방정식을 풀어내는 슈퍼컴퓨터가 있습니다. 2021년에 우리나라에서 가장 큰돈을 써서 구매한 물품이 바로 슈퍼컴퓨터였죠. 총 628억 원의 막대한 비용을 투자했지만 그런 슈퍼컴퓨터조차 기상 변화를 완벽히 예측하지 못합니다.

주가 흐름 예측은 기상 예측보다도 훨씬 어렵습니다. 그 이유는 바로 투자자의 심리가 주가에 반영되기 때문입니다. 사람의 심리를 어떻게 수치로 정확히 표현할 수 있을까요? 사실상 불가능에 가깝다고 볼 수 있습니다. 다만 여기서 우리가 알아야 할 건 '영원히 좋은 섹터도, 영원히 안 좋은 섹터도 없다'는 겁니다.

자산이 눈덩이처럼 커지는 복리의 마법을 경험하려면 일단 주식시장에 오랫동안 살아남아야 합니다. 생존을 위해서는 큰 수익을 내는 것보다 큰 손실을 피하는 것이 더 중요합니다. 아내에게 다양한 섹터에 분산 투자를 권한 가장 큰 이유입니다. 다만 여기서 아내의 선호도에 따라 투자 비중을 달리 했습니다. 앞서 나온 이미지에서 흰색으로 표시된 S&P500은 꾸준히 중간 정도의 순위를 유지하고 있음을 알 수 있습니다. S&P500에 포함된 500개 기업이 11개 섹터에 고르게 편입돼 있기 때문이죠. S&P500은 2008년부터 2022년까지 15년의 기간 중 12년 동안 플러스 수익률을 기록했다는 점도 염두에 둘 필요가 있습니다.

미래를 예측하지 못한다고 해서 반드시 실패하는 건 아닙니다. 미래 예측이 불가능하다고 믿는 사람은 항상 모든 경우의 수를 따지고 조심스럽게 행동합니다. 그러므로 절대로 크게 실패하지 않습니다. 큰 실패는 미래에 확신을 갖고 시도한 사람이 경험하게 될 가능성이 높습니다. 확신에 찬 예측은 실제 펼쳐진 미래와 다를 때 처참히 무너지게 됩니다. 모르는 것보다 위험한 건 '안다는 착각'입니다. 오랫동안 살아남기 위해서는 매 순간 겸손한 마음으로 여러 가능성에 대비하는 각고의 노력이 필요합니다. 그런 이유로 아내의 포트폴리오는 최고의 수익률을 얻기 위한 공격적인 투자와 거리가 있습니다. 안정적이면서도 조금은 보수적으로, 유행을 타지 않고 오랫동안 보유할 수 있도록 다양한 섹터의 배당 성장주로 구성하고자 했습니다.

안전지향성 아내의 포트폴리오

2021년 9월부터 1년이 넘는 시간 동안 꾸준히 배당을 받아온 아내의 포트폴리오를 공개합니다. 이는 배당 성장주 위주의 포트폴리오를 구성하는 방법을 구체적으로 설명하기 위한 하나의 예시일뿐, 절대 개별 종목 투자를 추천하는 것이 아님을 명백히 알립니다. 제가 개별 종목 투자를 추천하지 않는 이유는 투자하는 과정에서 생각지 못한 문제점을 발견했기 때문입니다. 여기서 장점은 물론이고 단점까지 자세하게 다루겠습니다. 장단점을 제대로 이해해야만 더욱 안정적인 배당연금 파이프라인을 만들 수 있습니다.

장점부터 보겠습니다. 아내의 포트폴리오에 담긴 개별 종목 20개를 배당금 지급 시기에 따라 세 종류로 분류하면 다음 표와 같습니다. 매월 6~7개 종목으로부터 꼬박꼬박 배당금을 받을 수 있도록 구성했습니다. 1월부터 12월까지 제2의 월급처럼 배당받을 수 있도록 종목을 분산한 것이죠. 월급을 받는 기쁨은 한 달 중 단 하루만 누릴 수 있습니다. 하지만 배당은 다릅니다. 기업마다 배당 지급 날짜가 다르기 때문에 한 달에도 여러 번 받을 수 있습니다. 예를 들어 1월에는 아메리칸타워와 머크를 포함한 개별 종목 7개로부터 배당금을 받습니다. 즉, 배당금으로 인해 한 달에 7번 웃게 되는 것이죠. 여기에 월급까지 더해지면 총 8번의 기쁨입니다. 아내의 계좌에 배당금이 입금될 때마다 스마트폰 알림이 울립니다. 소

아내의 배당 성장 포트폴리오
(2023년 3월 기준)

배당받는 시기 (월)	1억 원 배당 성장 포트폴리오 (2023년 3월 시가총액 반영)
1, 4, 7, 10	• 아메리칸타워(리츠 2위) • 머크(미국 제약 3위) • J.P.모건(세계은행 1위) • TSMC(대만 1위) • MPW(의료시설 리츠) • VICI(카지노 리츠) • IIPR(의료용 대마 리츠)
2, 5, 8, 11	• 애브비(미국 제약 4위) • 스타벅스(임의소비재 9위) • 버라이즌(미국 통신사 2위) • 텍사스인스트루먼트(아날로그 반도체 1위) • 메디패스트(다이어트 관련 기업) • 삼성전자우
3, 6, 9, 12	• 홈디포(임의소비재 3위) • 브로드컴(반도체 3위) • 유나이티드헬스(헬스케어 1위) • 록히드마틴(세계 최대 방산 기업, 산업재 7위) • 넥스트에라에너지(유틸리티 1위) • 린데(소재 2위) • ABR(부동산 금융 기업)
기타	• BST(블랙록 월배당 CEF 상품) • 애플 • 알파벳 • 국내 성장주 종목 2개

소한 금액이지만 배당 알림이 올 때마다 아내는 행복해했습니다. 배당받는 즐거움을 몸소 체험한 것이죠.

초보 투자자일수록 주가의 오르내림에 예민하게 반응하곤 합니다. 온종일 호가창을 들여다보며 시간을 낭비하죠. 그러나 아내는 주가에 별 관심을 보이지 않았습니다. 일희일비하는 일도 없었습니다. 아내의 관심은 오로지 배당에 있었으니까요. 2022년은 한국과 미국 모두 약세장에 접어들면서 많은 투자자가 심리적으로 압박을 느낀 시기였습니다. S&P500이 고점 대비 20퍼센트 이상 하락하며 약세장에 접어들었을 때 주가가 반토막 넘게 하락한 개별 종목이 수두룩했습니다. 이때 아내의 배당 성장 포트폴리오는 하락장에 강한 모습을 보여줬습니다. 게다가 주가 하락과는 별개로 배당금은 변함없이 지급됐기 때문에 아내는 심리적으로도 흔들리지 않았죠. 만약 배당이 없는 성장주 위주로 포트폴리오를 구성했다면 어땠을까요? 줄어드는 투자금을 수시로 확인하며 불안해했을 게 뻔합니다. 아내는 20개의 배당 성장주를 1년 이상 보유하면서 2021년보다도 커진 2022년의 배당금을 눈으로 직접 확인했습니다. 배당 성장주를 끈기 있게 보유하면 주가 흐름과는 별개로 배당 수익은 점점 커져나간다는 경험을 제대로 한 겁니다.

아내에게 현금 보유의 중요성, 배당금을 주는 종목과 주지 않는 종목 간의 차이를 알려주고 싶어 5000만 원은 배당 성장주로,

2000만 원은 배당금을 주지 않는 성장주로, 3000만 원은 현금으로 보유하는 포트폴리오를 구성했습니다. 배당 성장주에 5000만 원을 투자하니 매달 10만 원 이상의 배당금이 아내의 계좌로 입금됐습니다. 배당 소득세를 제외한 실수령액입니다. 1억 원을 모두 투자했다면 최소 월 20만 원 정도의 배당금을 받았을 겁니다. 배당 수익률이 큰 리츠(부동산) 종목을 제외하면 나머지 종목은 연평균 10퍼센트 이상의 배당 성장이 가능합니다. 연 10퍼센트의 배당 성장률이라면 72법칙에 따라 7.2년마다 2배씩 배당금이 늘겠죠. 1억 원을 모두 투자해서 26세에 월 20만 원의 배당금을 받는다면, 34세에는 월 40만 원, 42세에는 월 80만 원, 50세에는 월 160만 원, 58세에는 월 320만 원, 66세에는 월 640만 원이라는 계산이 나옵니다.

배당 성장률이 10퍼센트 미만일지라도 상관없습니다. 매달 받는 배당금을 재투자하고 앞으로 벌어들이는 수입으로 꾸준히 수량을 늘려나가면 됩니다. 결코 뜬구름 잡는 이야기가 아닙니다. 시간만 충분히 활용하면 1억 원으로도 노후 준비가 가능합니다. 스스로 확신을 가질려면 배당 성장주를 1년 이상 끈기 있게 보유하며 배당금이 조금씩 커지는 경험을 한 번만 해보면 됩니다.

아내의 포트폴리오를 조금 더 자세히 살펴보겠습니다. 다음 표는 2023년 3월 기준으로 11개의 섹터별 시가총액 상위 기업을 순

11개 섹터를 대표하는 시가총액 상위 기업

섹터	시가총액 상위 기업 (2023년 3월 기준)
정보기술	애플, 마이크로소프트, 엔비디아, TSMC, 브로드컴, ASML, 오라클, 시스코, 액센츄어, 텍사스인스트루먼트
금융	버크셔해서웨이, 비자, J.P.모건, 마스터카드, 뱅크오브아메리카
헬스케어	유나이티드헬스, 존슨앤존슨, 노보 노디스크, 일라이릴리, 머크, 애브비, 화이자
임의소비재	아마존, 테슬라, 홈디포, 알리바바, 맥도날드, 도요타, 나이키, 로우스, 스타벅스
커뮤니케이션 서비스	알파벳, 메타, 월트디즈니, 티모바일, 버라이즌, 컴캐스트, 넷플릭스, AT&T
산업재	UPS, RTX, 허니웰, DE, CAT, 유니온퍼시픽, 록히드마틴
필수소비재	월마트, 프록터앤갬블, 코카콜라, 펩시코, 코스트코, 필립모리스
에너지	엑손모빌, 쉐브론, 쉘
소재	BHP, 린데, 리오틴토, VALE, APD
유틸리티	넥스트에라에너지, 듀크에너지, 서던컴퍼니
리츠/부동산	프로로지스, 아메리칸타워, 에퀴닉스, 크라운캐슬, 퍼블릭스토리지, 사이먼프로버터, 리얼티민컴, 웰타워, VICI 프로퍼티

서대로 나열한 겁니다. 배당 수익률과 배당 성장률, 매출 증가 추이를 고려해봤을 때 향후 주가와 배당금 모두 성장해나갈 만한 종목으로 포트폴리오를 구성했습니다. 종목 선정은 지극히 주관적인 영역으로 정답은 없으나, 개인적으로 '배당 수익률 2.5퍼센트 이상,

배당 성장률 8퍼센트 이상, 앞으로도 매출이 꾸준하게 증가할 만한 사업'을 선호합니다. 다만 숫자는 상황에 따라 얼마든지 변할 수 있기 때문에 기준을 유연하게 정하는 것이 중요합니다.

예를 들어 애플과 알파벳은 제가 생각하는 배당 성장주 기준에는 부합하지 않습니다. 하지만 아내의 포트폴리오에는 담겨 있습니다. 아내가 좋아하는 기업이기 때문이죠. 수익만 보고 투자하면 기업이 좋은 성과를 내지 못할 때 매도 욕구가 강해집니다. 장기 보유가 어려워지는 것이죠. 반면 좋아하는 기업을 응원하는 마음으로 투자하면 기업이 좋은 성과를 내지 못하는 순간에도 믿음을 잃지 않을 수 있습니다. 기업이 위기를 극복하고 이뤄낸 성과와 수익은 자연스럽게 투자자에게 돌아옵니다. 종목을 선정할 때 수치만으로 접근하면 성과가 좋지 않을 때 마음이 쉽게 흔들릴 수 있습니다. 지나치게 합리적인 선택보다는 응원하는 마음으로 오래 함께하고 싶은 종목을 일부 보유하는 것도 좋은 방법입니다.

다시 표로 돌아가서, 표에서 빨간색으로 표시된 기업은 아내의 배당 성장 포트폴리오에 담겨 있는 종목입니다. 아내가 보유한 20개의 배당 성장주 중에서 무려 15개가 11개 섹터를 대표하는 우량주입니다. 배당 성장 포트폴리오의 75퍼센트를 우량 기업으로 구성한 것이죠. 또한 다양한 섹터의 종목을 고르게 보유하고 있어 유행에 따라 흔들릴 일도 없습니다. 더 자세히 보면, 총 11개 섹터 중

9개 섹터의 종목으로 포트폴리오를 구성했습니다. 필수소비재와 에너지 섹터에는 마땅한 기업이 없어 제외했습니다. 특히 에너지 섹터는 2014년부터 2020년까지 7년 중 무려 5년간 수익률 최하위였습니다. 오랜 시간 주식시장에서 완전히 소외됐던 섹터죠. 그런 와중 놀라운 일이 펼쳐졌습니다. 깊은 하락이 발생했던 2022년, 11개의 섹터 중 단 1개를 제외하고 모두 처참한 마이너스 수익률을 기록하던 때 유일하게 수익을 낸 섹터는 다름 아닌 에너지 섹터였죠. 무려 30퍼센트 이상의 큰 수익이었습니다. 영원히 좋은 섹터도, 영원히 좋지 않은 섹터도 없다는 사실을 증명하는 훌륭한 사례입니다.

정리하자면, 아내의 포트폴리오는 오랜 기간 배당 성장의 약속을 지켜온 기업 중심으로 이뤄져 있습니다. 20개의 기업 중 배당금을 삭감하거나 중지한 기업은 없습니다. 1년 넘게 주식시장이 크게 흔들리는 상황에서도 배당금은 오히려 성장했습니다. 계획했던 대로 모든 것이 순조롭게 흘러가는 듯했습니다. 이대로 시간이 흐르면 자연스럽게 배당연금 파이프라인이 만들어질 것이란 기분 좋은 확신까지 들었죠. 하지만 1년 이상 종목을 보유하면서 미처 생각지 못했던 문제점을 발견했습니다.

시가총액 상위 기업 바로 보기

해외 주식 사이트 핀비즈닷컴(QR코드)에 들어가 'Maps' 탭을 누르면 섹터별 시가총액 상위 기업을 확인할 수 있습니다. 시가총액이 클수록 큰 사각형으로 표시되기 때문에 직관적으로 이해하기 쉽습니다. 또한 필터를 'Dividend yield'로 바꾸면, 각 기업의 배당 수익률까지 한눈에 확인할 수 있습니다.

핀비즈닷컴
(Maps 탭 클릭)

다음 이미지에서 상단에 있는 Technology(정보기술) 섹터를 보겠습니다. AAPL(애플)의 사각형이 가장 크고 MSFT(마이크로소프트)가 두 번째로 큽니다. 이 두 기업이 해당 섹터의 시가총액 1, 2위 기업

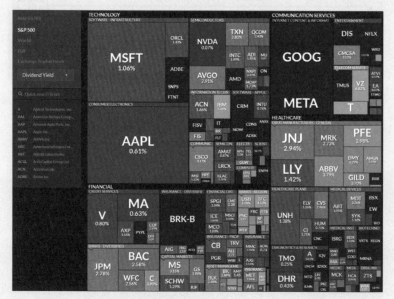

출처: 핀비즈닷컴(2023.3)

입니다. 그리고 AAPL 아래에 있는 0.61퍼센트라는 수치로 배당 수익률도 알 수 있습니다. 1퍼센트도 되지 않기 때문에 배당주로 보기에는 다소 무리가 있어 보입니다. 그렇지만 배당금을 꾸준히 성장시켜 연 3퍼센트에 가까운 배당 수익을 기대할 수 있는 날이 온다면 그때는 좋은 배당 성장주로 분류할 수 있겠죠. 이와 같이 스스로 분석하는 시각을 길러보면 좋습니다.

02

개별 종목의 한계·극복하기

짧아진 기업 수명에 대처하는 법

세계적인 컨설팅 전문 회사 맥킨지 사장을 역임했던 리처드 포스터Richard Foster는 저서《창조적 파괴》에서 S&P500 기업의 평균 수명이 점점 짧아지고 있다고 했습니다. 1960년까지만 해도 60년 정도였는데 1980년에는 35년, 2000년에는 25년으로 급속히 줄어든 것이 그 증거죠. 매년 많은 기업이 시장 가치의 하락 또는 대기업 인수로 인해 사라지고 있습니다. 이러한 추세라면 10년 안에 S&P500 기업 중 절반가량이 다른 기업으로 교체될 수 있습니다. 전략 컨설팅 기업 이노사이트는 최근 연구에서 향후 10년간 S&P500 기업의 평균 수명이 15~20년 수준까지 짧아질 것이라 예상했습니다. 미국의 우량 기업 중에서도 평생 함께할 수 있는 기업은 거의 없다는 의미입니다.

배당연금을 꾸준히 늘려가기 위해서는 배당금이 성장하는 종목을 오랫동안 보유해야만 합니다. 앞서 말한 버핏처럼 말입니다. 하지만 기업의 수명이 15여 년까지 짧아진다면 코카콜라와 같은 종목을 찾는 일은 점점 더 어려워질 겁니다. 이것이 개별 종목 투자의 맹점입니다. 배당연금에서 가장 중요한 건 장기 보유이기 때문에 우리는 반드시 해결책을 찾아야 합니다. 어떻게 해야 할까요? 월가의 영웅 피터 린치Peter Lynch는 이렇게 말했습니다.

"투자하는 모든 종목에서 돈을 벌 필요는 없습니다. 저의 경험에 비춰보면 포트폴리오에 포함된 10개 종목 중에서 6개만 올라도 만족스러운 실적을 만들 수 있습니다. 주가는 마이너스가 될 수 없으므로 손실액은 처음에 투자한 금액에 한정되지만, 상승하는 주가에는 한계가 없기 때문이죠. 대박 종목 몇 개만 있으면 평생 투자에서 성공할 수 있다는 말입니다."_《전설로 떠나는 월가의 영웅》(2021, 국일증권경제연구소)

10개 종목 중 4개 종목의 성과가 좋지 않아도 성공할 수 있다는 듣기 좋은 말만 기억해서는 안 됩니다. 린치의 조언에는 그보다 훨씬 더 중요한 내용이 담겨 있습니다. 성공적인 투자를 하려면 다른 종목의 실패를 만회할 수 있는 좋은 종목이 포트폴리오에 반드시 담겨 있어야 한다는 것이죠. 그 종목을 지금부터 '대장 종목'이라 부르겠습니다.

포트폴리오에 대장 종목만 있어야 하는 건 당연히 아닙니다. 그러나 대장 종목이 하나도 없으면 성공적인 투자로 이어지기 어렵습니다. 배당 성장 포트폴리오를 구성할 때도 마찬가지입니다. 우량한 S&P500 기업의 평균 수명마저 15년 내외인 상황에서 버핏의 코카콜라와 같은 종목으로만 포트폴리오를 구성하는 건 현실적으로 불가능합니다. 그런 종목을 하나도 보유하지 못하는 투자자가 대다수일 겁니다. 만약 1개 종목에 투자했는데 그 종목이 대장 종목이라는 자신이 있다면, 포트폴리오를 단일 종목으로 구성해도 됩니다. 3개 종목에 투자했을 경우에는 적어도 하나가 대장 종목이어야 합니다. 최악의 상황은 그 안에 대장 종목이 하나도 없는 겁니다. 배당연금을 끝없이 늘려나가기 위해서는 명맥을 길게 유지할 기업을 찾아내는 것이 무엇보다 중요합니다.

아내의 포트폴리오를 배당 성장주 20개로 구성한 이유가 바로 이 때문입니다. 대장 종목이 어떤 것일지 알 수가 없기 때문입니다. 최단 10년 이상 투자할 계획이라면 여러 종목에 투자하는 것이 더 나은 선택일 수 있습니다. 그 예를 보여드리죠. 1917년, 미국 경제 전문지 〈포브스Forbes〉는 '미국 100대 기업'을 선정했습니다. 그로부터 100년이 흐른 2017년, 〈포브스〉는 미국을 대표했던 그 100

대 기업이 어떻게 변화해왔는지 공개했습니다. 결과는 가히 충격적이었습니다. 100년간 같은 이름으로 명맥을 유지해온 기업은 단 12개뿐이었습니다. 나머지 88개 기업은 인수와 합병을 통해 형태가 바뀌었거나 새로운 변화에 적응하지 못한 채 사라져버렸죠. 이제 어느 기업이 언제까지 살아남을지는 그 누구도 예측할 수 없습니다. 그렇다면 1가지 흥미로운 가정을 해볼까요? 만일 1917년 〈포브스〉가 선정한 100대 기업에 1000달러씩 투자했다고 가정해보겠습니다. 고작 12개 종목만 살아남았으니 실패로 끝났을까요? 다음 이미지에서 또 한 번 놀라운 결과를 확인해보죠.

가장 높은 수익률을 기록한 종목은 프록터앤갬블입니다. 주가가 무려 1600배나 올랐습니다. 이것이 바로 대장 종목의 위력입니다. 프록터앤갬블에 투자한 1000달러의 투자금은 160만 달러가 됐습니다. 총 투자금이 10만 달러였다는 점을 고려하면 실로 엄청난 수익이죠. 그 다음으로 디어앤컴퍼니와 제너럴일렉트릭 역시 1000배 가까운 수익률을 기록했습니다. 이처럼 대장 종목은 다른 종목에서 발생한 모든 손실을 만회하는 강력한 힘을 가지고 있습니다.

소위 대박을 꿈꾸며 소수 종목에 투자하는 사람을 주변에서 흔하게 볼 수 있지만, 거의 대부분은 대박보다 쪽박에 가까울 가능성이 높습니다. 대장 종목은 필연적으로 소수일 수밖에 없기 때문이죠. 확실하게 수익을 내고 싶다면 여러 종목에 고르게 투자하면서

1917년 선정한 미국 100대 기업의 100년 후 가치 변화

COMPANY (1917)	VALUE OF $1,000 INVESTMENT[1] (2017)	PRICE APPRECIATION
PROCTER & GAMBLE	$1,596,006.36	159,501%
DEERE & CO.	1,171,772.26	117,077
GENERAL ELECTRIC	992,655.05	99,166
SEARS, ROEBUCK	690,767.22	68,977
E.I. DU PONT DE NEMOURS	659,731.14	65,873
INTERNATIONAL PAPER	218,105.16	21,711
FORD MOTOR	115,233.25	11,423
ALUMINUM CO. OF AMERICA (ALCOA)	105,743.77	10,474
PACIFIC GAS & ELECTRIC	63,964.90	6,296
AMERICAN TELEPHONE & TELEGRAPH	25,362.46	2,436
GOODYEAR TIRE & RUBBER	21,798.71	2,080
U.S. STEEL	21,146.51	2,015

출처: 〈포브스〉(2017)

대장 종목을 담을 가능성을 높이는 것이 현명합니다. 다시 앞서 언급한 예로 돌아가보겠습니다. 1917년에 투자한 10만 달러의 자산 가치는 100년 후 2660만 달러에 달합니다. 만약 배당금을 재투자했다면 훨씬 더 높은 수익률을 기록했을 겁니다. 문제는 기업의 짧아진 수명입니다. 지난 100년간 발생했던 과정이 앞으로는 그보다 짧은 기간 안에 일어날 게 뻔합니다. 기도하는 마음으로 소수 종목을 보유하기보다는 속 편하게 여러 종목을 보유하는 편이 낫습니다. 배당연금 파이프라인을 만들 때 우선순위로 둬야 하는 건 안정성입니다. 그 어떤 상황이 오더라도 배당연금이 마르지 않아야 합니다. 버핏의 코카콜라처럼 단 한 종목만으로도 탄탄한 배당연금 파이프라인을 만들 수 있다는 착각에 빠져서는 안 됩니다. 기업의 명이 다하는 날, 우리의 배당연금도 마릅니다. 평생 동안 배당연금을 안정적으로 받기 위해서는 다양한 기업으로부터 고르게 배당금을 받도록 포트폴리오를 구성해야 합니다.

당신도 겪게 될 딜레마

2022년 7월, S&P500 지수가 고점 대비 20퍼센트 이상 하락하며 공식적인 약세장에 진입했습니다. 엄청난 주가 하락에 경험 많은 투자자조차 힘든 시기를 보냈지만, 제 아내는 변함없이 평온했습니다. 안정성을 최우선으로 한 아내의 포트폴리오가 하락장에서도 쉽게 무너지지 않았기 때문이죠.

2022년 12월 기준, 아내의 배당연금 계좌 수익률은 −0.3퍼센트를 기록했습니다. 2021년 9월부터 받은 배당금 172만 5000원은 배당 수익률 3.45퍼센트(세후)에 해당합니다. 배당금까지 합하면 실질 수익률은 3.42퍼센트가 됩니다. 깊은 하락장에도 불구하고 여전히 수익 구간에 있는 것이죠. 반면 안정적이라고 여겨지는 S&P500조차도 같은 기간 동안 15퍼센트 하락했습니다. 비교를 위해 배당금을 주지 않는 기업으로 구성한 아내의 성장주 계좌는 30 퍼센트 이상 하락하며 상당히 취약한 모습을 보였습니다. 하락장을 통해 아내는 "배당 성장주와 성장주의 방어 능력 차이, 현금 보유의 필요성을 배웠다"고 했습니다. 저 역시 놀랐습니다. 배당 성장주로 구성된 아내의 포트폴리오는 하락장에서 제가 기대했던 것보다도 훨씬 선방했기 때문이죠. 여기까지는 모든 것이 완벽했습니다. 그러나 생각지도 못했던 부분에서 문제가 발생했습니다. 계좌 수익률 −0.3퍼센트라고 하면 20개 종목이 0퍼센트 가까운 곳에 옹기종기 모여 있으리라 기대하기 쉽지만 현실은 달랐습니다.

다음 이미지에서 2022년 12월 말 아내의 배당연금 계좌 수익률을 확인할 수 있습니다. 하락장이 펼쳐진다고 해서 모든 종목의 주가가 하락하지는 않습니다. 개별 종목 호재로 인해 주가가 크게 오른 기업도 있고, 악재가 있는 기업은 평균적인 하락보다 주가가 더 많이 내려가기도 했습니다. 사실 2021년 9월 매수 당시만 해도 모두 기대한 종목이었습니다. 각 기업의 과거와 현재를 분석한 뒤 주가 흐름과 배당 지급 모두 긍정적으로 기대하고 매수했죠. 하지만 주가는 예상을 빗나갔습니다. 아내의 계좌를 보면, 단 1년 만에 종목별 수익률 격차가 크게 벌어지는 것을 확인할 수 있습니다. 시간이 지날수록 그 격차는 더 크게 벌어질 겁니다.

아내의 배당 성장 포트폴리오에 담긴 종목 20개를 15년간 보유

종목별 수익률 격차가 생긴 아내의 배당연금 계좌

종목			
머크	1,250,536	795.81	23
미국 MRK	60.77%	46.02%	23
록히드 마틴	925,481	569.71	4
미국 LMT	56.92%	41.35%	4
애브비	1,120,537	691.11	15
미국 ABBV	54.67%	39.98%	15
UnitedHlth Grp	674,371	354.42	4
미국 UNH	32.44%	20.29%	4
VICI Properties Inc	540,210	255.13	58
미국 VICI	27.23%	15.26%	58
Linde IR	454,405	182.65	6
미국 LIN	21.31%	10.19%	6
넥스트에라 에너지	333,172	85.87	22
미국 NEE	15.97%	4.87%	22
Broadcom Inc.	356,630	72.68	4
미국 AVGO	14.18%	3.43%	4
홈디포	66,263	-115.42	5
미국 HD	3.26%	-6.73%	5
스타벅스	59,285	-125.86	17
미국 SBUX	2.78%	-7.01%	17

종목				
제이피모건체이스	-152,932	-279.55	11	
미국 JPM	-7.54%	-16.34%	11	
아메리칸 타워	-271,525	-388.89	7	
미국 AMT	-12.23%	-20.74%	7	
아버 리얼티 트러스트	-313,950	-393.96	94	
미국 ABR	-15.75%	-23.52%	94	
버라이즌 커뮤니케이션스	-496,738	-509.43	42	
미국 VZ	-19.45%	-24.49%	42	
메디패스트	-702,063	-669.94	12	
미국 MED	-27.78%	-32.48%	12	
타이완 반도체 제조	-537,592	-567.62	15	
미국 TSM	-26.36%	-33.12%	15	
메디컬 프로퍼티즈 트러스트	-873,564	-789.83	114	
미국 MPW	-34.46%	-38.38%	114	
BLACKROCK SCIENCE TECHNOLOGY CF	-748,490	-738.20	32	
미국 BST	-37.10%	-43.26%	32	
이노베이티브 인더스트리얼 프로퍼티스	-1,039,645	-982.52	9	
미국 IIPR	-44.03%	-49.34%	9	
삼성전자우	-896,458		50	71,700
현금		-25.01%	2,695,000	53,900

출처: 나무증권 앱(2022.12)

한다면 어떤 일이 벌어질까요? 분명 20개 기업 중 상당수는 다른 기업에 인수 또는 합병되거나 시대에 적응하지 못한 채 사라질 겁니다. 살아남은 종목 중 몇몇 종목이 아내의 포트폴리오를 성공적으로 이끌겠죠. 대장 종목을 섣불리 예측해서는 안 됩니다. 현재 좋은 성과를 보여주고 있다고 해서 끝까지 좋을 것이란 보장이 없기 때문이죠. 오히려 지금 안 좋은 종목이 15년 후 가장 좋은 수익률을 보여줄지도 모릅니다.

가장 확실한 방법은 모든 종목을 끈기 있게 보유하는 겁니다. 물론 말처럼 쉽지 않습니다. 장기 보유를 통해 배당연금 파이프라인을 만드는 과정에서 누구나 경험하게 될 딜레마 하나를 미리 알려 드리겠습니다. 저 역시 예측하지 못한 문제였습니다.

시간이 흐를수록 주가가 많이 오르는 종목과 주가가 많이 내려가는 종목 간의 격차는 점점 더 심해지기 마련입니다. 예를 들어 보겠습니다. 앞서 나온 아내의 계좌 이미지를 보면, 록히드마틴이 상당히 좋은 수익률을 보여주고 있습니다. 러시아 우크라이나 전쟁이 일어나면서 방산주가 주목을 받았기 때문입니다. 전쟁을 예상했던 사람은 아무도 없었습니다. 따라서 록히드마틴이 대장 종목이 될 것이라고는 꿈에도 몰랐습니다. 가장 좋지 않은 수익률을 보여주고 있는 종목은 IIPR입니다. 의료용 마리화나 관련 리츠주로 성장 가능성이 컸기에 주가가 반토막이 날 것이라고는 생각지 못했죠. 이처럼 1년 후도 예측이 어려운 것이 현실입니다.

그럼 여기서 주가가 많이 오른 종목과 많이 내려간 종목 중 무엇을 추가 매수해야 할까요? 배당 수익 관점에서 보면 주가가 대폭 하락해 배당 수익률이 높아진 IIPR이 더 좋은 선택지로 보입니다. 2023년 3월 기준 록히드마틴의 배당 수익률은 2.52퍼센트이고, IIPR의 배당 수익률은 8.66퍼센트나 됩니다. 아내는 배당 수익을 늘리기 위해 주가가 대폭 하락한 종목 위주로 추가 매수를 진행했습니다. 배당금에 초점을 맞췄으니 너무나 당연한 선택이었죠. 그런데 문제가 발생했습니다.

주가가 하락한 종목은 이후에 더 많이 하락했고 주가가 상승한 종목은 이후에도 계속 상승 곡선을 그렸습니다. 그 추세가 쉬이 바뀌지 않은 것이죠. 원하던 대로 배당 수익은 증가했지만 주가 흐름이 좋지 않은 기업의 비중만 점점 커졌습니다. 주가 하락이 단기 악재에 불과하다면 추가 매수를 통해 배당연금을 적극적으로 늘려나갈 절호의 기회였을 겁니다. 그러나 배당 지급에 영향을 미칠 만한 치명적인 악재로 주가가 급락한 것이라면 매수 기회라 볼 수 없죠. 말은 쉽습니다. 실제로는 전문가조차 그 판단을 내리는 것이 쉽지 않습니다. 초보 투자자인 아내가 혼자서 추가 매수 여부를 결정한다는 건 당연히 무리였습니다.

아내의 고민은 추가 매수를 결정해야 할 때마다 거듭됐습니다. 매수를 위해 20개 종목을 매번 다시 분석한다는 건 정말 힘든 일입니다. 주가에 관심을 가질수록 심리적으로 흔들리기 쉽습니다. 고민 없이 20개 종목을 모두 추가 매수할 수도 있겠지만 그러기 위해서는 상당한 자금이 필요하죠. 어쩌면 아내에게는 배당 성장주 20개를 보유하는 것이 적합한 방법이 아니란 생각이 들었습니다. 오랫동안 지치지 않고 투자를 이어나가기 위해 더 쉽고 마음 편한 방법을 찾아나섰고, 그 해답은 배당 성장 ETF^{Exchange Traded Fund}에 있었습니다.

배당 성장 ETF에 관심을 가져야 하는 이유

ETF는 10개 종목 이상으로 구성된 패키지 상품이라고 이해하면 됩니다. 한때 많은 투자자가 관심을 가졌던 'Tiger 차이나전기차 SOLACTIVE'를 예로 보겠습니다. 전기차에 대한 관심이 커지자 미래에셋자산운용은 'Tiger 차이나전기차 SOLACTIVE'라는 ETF 상품을 출시했습니다. 성장성이 큰 중국 전기차 관련 기업 20여 개로 이뤄진 상품이죠. 이 ETF 상품 하나에 투자하면 중국 전기차 관련 기업 20개에 분산 투자하는 것과 같습니다. 20개 종목 안에는 버핏의 절친 찰스 멍거Charles Munger가 그토록 아끼는 중국의 대표 전기차 기업인 BYD와 세계 최대 배터리 업체인 CATL도 포함돼 있죠.

개인 투자자가 중국의 수많은 전기차 관련 기업 중 좋은 종목을 직접 찾아 분산 투자하는 건 결코 쉬운 일이 아닙니다. 게다가 ETF는 주기적으로 포트폴리오에 담긴 종목을 정해진 기준에 따라 더 좋은 종목으로 교체해 주죠. 즉, ETF 상품에 투자할 경우 이 어렵고 번거로운 작업을 자산운용사가 대신하는 겁니다. 물론 세상에 공짜는 없습니다. 자산운용사는 그 대가로 수수료를 받습니다. 인기 있는 ETF의 출시는 자산운용사의 수익에도 큰 도움이 되기 때문에 투자자의 니즈에 맞춰 다양한 ETF 상품을 내놓습니다. 또한 더 많은 고객을 유치하기 위해 수수료 경쟁을 펼치기도 하죠. 'Tiger 차이나전기차 SOLACTIVE'의 총보수는 연 0.49퍼센트로, 기타 비용과 매매·중개 수수료까지 합하면 수수료가 꽤 높은 편에 속합니다. 수수료와 포트폴리오 구성은 계속 변하기 때문에 주기적으로 관찰해야 합니다.

ETF 상품도 개별 종목과 마찬가지로 배당금을 지급합니다. 엄밀히 따지면 배당금이 아니라 분배금이죠. ETF 분배금은 보유하고 있는 주식의 배당금뿐만 아니라 현금 운용 수익, 옵션 프리미엄, 주식 대차 수수료 수익, 부동산 임대 수익과 같은 다양한 재원으로 이뤄져 있습니다. 하지만 '개별 종목은 투자자에게 배당금을 나눠주고 ETF는 투자자에게 분배금을 나눠준다' 정도로만 이해해도 충분합니다.

배당 성장 ETF는 여러 개의 배당 성장주로 구성된 ETF입니다. 배당 성장주 100종목으로 구성된 ETF 상품이 있다고 가정해보겠습니다. 자산운용사는 보유 종목 100개로부터 받은 배당금과 기타 수익을 ETF 투자자에게 분배금이라는 형태로 지급합니다. 따라서 배당연금 파이프라인을 개별 배당 성장주가 아닌 배당 성장 ETF로 만들 수도 있습니다. 어느 종목이 대장 종목으로 성장해나갈지 모르는 상황에서는 여러 종목을 보유하고 있는 것이 안전한 선택이라고 앞서 언급했었죠. ETF 상품을 보유하면 이미 수많은 종목에 분산 투자한 것과 다름없기 때문에 이 또한 안전한 선택입니다. 추가 매수할 종목을 결정할 때마다 어려워했던 아내가 20개 종목으로 구성된 ETF 상품에 투자했었다면 고민이 크게 줄어들었을 겁니다. ETF 상품 하나만 추가 매수하면 되니까요. 배당 매력이 떨어진 종목은 포트폴리오에서 자동으로 사라지고 새로운 종목으로 교체되고, 배당 성장 ETF를 보유하면 매도 없이 꾸준히 좋은 종목으로 바뀐다는 엄청난 장점이 있습니다.

기업의 수명이 짧아질수록 장기 투자는 어려워집니다. 하지만 개별 종목 대신 ETF 상품을 보유하면 그 걱정도 덜 수 있습니다. 이제 아내가 해야 할 일은 확신을 갖고 열심히 배당 성장 ETF를 모아가는 일뿐입니다.

성장지향성 배당연금술사의 포트폴리오

배당으로 제2의 월급을 만들어가고 있는 저의 이야기도 들려드리겠습니다. 포트폴리오의 과정들을 최대한 자세히 공유하겠습니다. 구체적인 종목을 공개하지만 이해를 돕기 위한 예시이며, 결코 매수 추천은 아닙니다. 개별 종목보다는 포트폴리오가 변화해가는 흐름에 집중해 주십시오.

2013년 봄, 어르신의 조언 덕분에 주식 투자에 대한 저의 관점은 무관심에서 의심으로 바뀌었습니다. 의심이라는 단어 자체가 부정적인 뉘앙스가 강하지만 제게는 긍정적인 변화의 시작이었습니다. 그때부터 주식 투자에 대한 저만의 관점이 생겼기 때문입니다. 서점으로 가 생애 첫 투자 관련 서적을 구매했고, 당시 베스트셀러였던 책들에는 누구나 알고 있을 법한 대표 종목부터 투자를 시작하라고 적혀 있었습니다. 그 말을 잠시 제쳐두고 일단은 지켜보기로 했습니다. 당시 도서에서 추천한 종목을 3년간 지켜보고 다음과 같이 표로 정리했습니다.

10년 전에는 해외 주식 투자가 지금처럼 대중화돼 있지 않아 국내 업종별 대표 기업에 나눠서 투자하라는 내용이 일반적이었죠. 3년 정도 경과를 틈틈이 지켜보면서 느낀 감상은 '전문가의 추천이 반드시 수익을 보장하는 건 아니구나!' 였습니다. 주식 투자에 대한 무관심이 의심으로 바뀐 건 이때부터였습니다. 10년이 지난 현재, 강력 추천 종목 중 10년 전 주가를 회복하지 못한 종목이 절반 이상입니다. 2023년 2월 주가가 2013년 시가보다 상승한 종목은 삼성전자, SK텔레콤, KB금융, 네이버뿐입니다. 의심이 꼭 나쁜 것만은 아니었습니다. 그 덕에 주식 투자가 쉽지 않다는 판단을 저 스스로 내릴 수 있었기 때문이죠. 부정적인 관점이 생겼다는 건 무관심의 단계를 벗어났다는 의미이기도 합니다. 투자를 몰라서 못 하던 상황과 본인의 의지로 안 하는 상황은 완전히 다릅니다.

제가 첫 번째 매수를 진행했던 날은 2020년 3월 18일입니다. 코로나19로 인해 코스피와 코스닥 모두 최저점을 기록한 게 2020

2013년 베스트셀러에서 추천한 종목들의 주가 변화

종목	2013년 시가	2015년 종가	3년 관찰 결과	2023년 2월 주가
삼성전자	3만 700원	2만 5200원	2013년부터 3년 연속 하락	6만 2600원
SK텔레콤	2만 6480원	3만 7180원	상승	4만 4400원
KB금융	3만 8300원	3만 3150원	2014년부터 2년 연속 하락	5만 원
현대건설	6만 8800원	2만 7800원	2013년부터 3년 연속 하락	3만 7400원
POSCO	35만 5500원	16만 6500원	2013년부터 3년 연속 하락	33만 4000원
현대자동차	22만 500원	14만 9000원	2014년부터 3년 연속 하락	17만 9000원
두산중공업	3만 5300원	1만 5760원	2013년부터 3년 연속 하락	1만 5470원
신세계	22만 1000원	23만 원	약간 상승	20만 8500원
한국전력	3만 750원	5만 원	3년 연속 상승 후 8년 연속 하락	1만 8300원
네이버	4만 5850원	13만 1790원	2013년 221퍼센트 상승	21만 5500원
대한항공	2만 5950원	1만 6890원	2013년 30% 하락 2015년 38% 하락	2만 3650원

년 3월 19일이니 완벽한 바닥에서 매수를 시작한 셈이죠. 많은 전문가가 더블딥(W자 모양의 이중 침체 현상)을 예상하며 매수를 참아야 한다고 했지만 저는 그 말을 곧이곧대로 듣지 않았습니다. 모두 겁에 질려 매수하지 못하고 있는 것처럼 느껴졌기 때문입니다.

제 최저점 매수는 엄청나게 운이 좋았다는 말 이외에는 설명하기 어렵습니다. 솔직히 말하면 행운 말고 1가지 요소가 더 있습니다. 바로 준비입니다. 준비되지 않은 사람에게는 행운이 찾아오지 않습니다. 보통은 행운이 행운인지도 모르고 흘려보내죠. 투자를 진지하게 고민해보지 않은 사람은 주가가 대폭락해도 누군가가 답을 말해줄 때까지 스스로 판단할 수 없습니다. 머뭇거리는 동안 행운은 준비된 사람이 잡아챕니다. 주식 투자에 아예 관심을 두지 않았더라면 좋은 기회라는 사실조차 인지하지 못했을 겁니다. 직감적으로 행운이란 사실을 알았기에 망설임 없이 반등 가능성이 큰 성장주 위주의 포트폴리오를 구성할 수 있었습니다.

주변에서 단기 매매에 집중하며 작은 수익과 손실에 연연할 때 저는 큰 그림을 그려나가고자 노력했습니다. 최소 100퍼센트 이상의 수익을 낼 게 아니라면 매수하지 않겠다는 마음으로 접근했습니다. 1년 이상 보유할 마음이 없는 종목은 애초에 투자 대상에 두지도 않았습니다. 해당 산업과 종목을 공부하고 분석하는 데 쏟는 시간과 노력이 되레 아깝다고 생각했기 때문입니다. 그만큼 진심을 담아 공부하고 분석했다는 말이기도 합니다. 보유하고 있던 종목이 많지만 40퍼센트 이상의 수익을 실현한 종목만 보여드리겠습니다.

대단한 성과라고 할 수는 없습니다. 다만 특별한 매매 기술 없이 끈기 있는 보유만으로 이뤄낸 성과라는 점에서 나름대로 의미가 있습니다. 매수와 매도를 수없이 반복해 대단한 성취를 이룬 개인 투자자는 드뭅니다. 저처럼 평범한 투자자라면 좋은 종목을 찾아 끈기 있게 보유하는 편이 더 효율적일 수 있습니다. 저는 여기서 만족하지 않고 투자법을 개선하기 위해 밤낮없이 공부했습니다. 꾸준히 수익을 창출해낼 수 있을 것이란 확신이 들지 않았기 때문이죠. 만약 그런 확신이 있었다면 굳이 배당연금 투자로 방향을 바꾸

장기 보유 후 수익 실현한 종목 일부

종목명	실현손익	매도평균단가
종목코드	수익률	매수평균단가
EHang Holdings	9,265,554	70,933.967
US26853E1029	257.17%	20,249.387
INVSC SOLAR ETF	998,280	102,934.533
US46138G7060	48.06%	69,225.864
엔비디아	1,824,124	641,006.000
US67066G1040	46.52%	566,848.000
호북천화	650,546	22,349.210
CNE000000M72	41.12%	18,140.720
융기실리콘	1,423,188	8,384.638
CNE100001FR6	40.94%	11,410.930

종목명	실현손익	매도평균단가	매도수량
	수익률	매수평균단가	매수수량
두산퓨얼셀	2,670,072	33,568	110
상세	263.43%	9,214	447
금양	13,761,806	11,580	2,086
상세	133.13%		
효성첨단소재	1,400,423	225,818	11
상세	129.95%	110,154	37
효성화학	11,421,329	215,144	107
상세	98.93%	107,750	116

출처: 나무증권 앱

지 않았을 겁니다.

2021년 3월, 모두가 주가 상승의 기쁨을 누리고 있을 때, 저는 마냥 기뻐할 수가 없었습니다. 주가가 오를수록 저평가된 종목을 찾아내기 점점 더 어려워지니까요. 최선을 다했지만 새로운 매수 종목을 찾는 데 한계를 느꼈습니다. 제 능력 밖의 일이더군요. 1년 동안 투자 관련 서적을 50권 이상 읽으면서 1가지 절실하게 느낀 것은 바로 제 능력 부족이었습니다. 자신감을 잃었다는 것이 아닙니다. 겸손을 잃지 않으려고 한 것이죠. 이제 저는 새로운 것을 알고 싶어서 공부한다기보다 감히 안다는 착각에서 벗어나기 위해 공부하고 있습니다. 투자에 있어서만큼은 모르는 것보다 알고 있다는 착각이 더 무서운 법입니다.

언제 찾아올지 모를 큰 실패를 피하기 위해 투자 방식의 변화가 필요하다고 느꼈습니다. 시장 상황이 좋지 않고 운이 따라주지 않아도 안정적으로 수익을 낼 수 있는 투자법을 찾고 싶어진 거죠. 평생토록 꾸준한 수익 창출이 이뤄지는 투자에 대한 고민이 시작됐고, 그제야 어르신이 남긴 "성공과 실패를 반복한 뒤 결국 배당연금 투자로 돌아왔다"는 말을 완벽히 이해할 수 있었습니다. 공부를 하면 할수록 배당연금 투자야말로 안정적인 파이프라인을 만들어줄 투자법이라는 믿음이 생겼습니다. 하지만 돌다리도 두들겨보고 가야 하죠. 마지막으로 검증에 나섰습니다. 그 일환으로 2021년

4월부터 브로드컴과 홈디포 그리고 애브비라는 배당 성장주를 모으기 시작했습니다. 기존에 보유하고 있던 성장주와 배당 성장주의 성과를 비교 분석해보는 과정에서 배당연금 투자는 주가 상승과 더불어 배당 수익까지 누릴 수 있는 투자라는 사실을 눈으로 직접 확인했습니다. 훗날 하락장이 오더라도 배당금이 있다면 심리적

2021년 4월 배당연금 투자 검증용

거래일자 ▲	거래구분 ⬍	주문종목코드
거래번호 ⬍	상세구분 ⬍	주문종목명
2021.04.01	매수	AVGO US
1	외화증권매수	Broadcom Inc.
2021.04.07	매수	HD US
2	외화증권매수	홈디포
2021.04.07	매수	HD US
3	외화증권매수	홈디포
2021.07.09	매수	ABBV US
2	외화증권매수	애브비

출처: 나무증권 앱

으로 큰 위안이 되리라는 확신도 생겼습니다. 배당연금 투자가 답이라는 결론에 따라 5개월간 배당연금 투자를 집중적으로 분석한 후 아내의 포트폴리오를 구성했습니다. 성장주 비중이 큰 제 계좌와 달리 아내의 계좌는 배당 성장주 비중을 크게 늘렸죠.

제 유튜브 채널 〈배당연금술사〉를 개설한 시점은 2021년 12월입니다. 배당연금 투자로 성공한 저를 보여주기 위해서가 아니라 배당연금을 만들어가는 과정을 처음부터 함께 공유하고 싶어 시작하게 됐습니다. 채널 운영 초기에는 모두가 상승장이 더 길게 이어질 것이라고 예상하는 분위기였습니다. 그래서 배당연금을 하찮게 바라보는 분이 많았지만, 제 확신은 견고했습니다. 모두가 망설일 때 과감한 매수로 만족스러운 수익을 냈던 경험이 있었기 때문이죠. 다수의 생각이 꼭 정답이 아니기에 홀로 서 있어도 불안하지 않았습니다.

2022년부터는 예상보다 깊은 하락장이 펼쳐졌습니다. 더 큰 상승을 기대하며 하락을 미처 대비하지 않았던 사람은 크게 좌절했습니다. 물론 저 역시 예상하지 못한 일이었지만 다행히 2021년부터 투자 방향을 조금씩 바꾸고 있었기 때문에 하락장도 그다지 걱정스럽지 않았습니다. 유튜브를 개설할 당시만 해도 배당연금은 바닥에 가까웠습니다. 성과 분석을 위해 매수했던 브로드컴, 홈디포, 애브비가 전부였습니다. 그런데 1년 동안 꾸준히 SCHD와 JEPI라는

배당연금술사의 예상 배당연금
(2023년 2월 기준)

출처: 더리치(2023.2)

종목을 매수하면서 2023년 2월 기준, 월 21만 원(세후)에서 74만 원(세후) 사이의 배당연금을 받고 있습니다. 월평균 40만 원(세후) 정도 됩니다. 누군가에게는 하찮은 금액일지 모르지만 저에게는 남다릅니다. 근로소득 외 추가 수익이니 단돈 10원도 소중합니다.

2023년 2월 기준으로 반영된 제 포트폴리오를 공개합니다. 다음에 나오는 표에서 확인할 수 있습니다. 보유 종목과 평가액은 개인의 상황과 성향에 따라 얼마든지 바뀔 수 있으니 참고용으로만 보기 바랍니다. 1년 6개월 전까지만 해도 성장주 비중이 절대적으로 높았으나 지금은 배당 성장주 비중을 성장주와 비슷한 수준까지 끌어올렸습니다. 국내 성장주로 올린 수익과 월급의 일부로 배당 성장주 비중을 꾸준히 늘려온 것이죠. 앞으로는 포트폴리오의 80퍼센트 이상을 배당 성장주로 채우는 것이 목표입니다.

배당연금술사의 포트폴리오
(2023년 2월 기준)

분류	종목명	평가 금액	평가 금액 합산	비중
배당 성장주	SCHD	5000만 원	8000만 원	41.5%
	JEPI	3000만 원		
성장주 (장기 보유)	두산퓨얼셀	1100만 원	8200만 원	42.5%
	효성첨단소재	1000만 원		
	파인엠텍	400만 원		
	비나텍	4600만 원		
	이항(EH)	1100만 원		
3배 레버리지 ETF	SOXL	2000만 원	2700만 원	14%
	TQQQ	700만 원		
연금저축계좌	SOL 미국배당다우존스	366만 원	400만 원 (세액공제용)	2%
	KODEX 미국S&P500선물(H)	19만 원		
	KODEX 미국나스닥100선물(H)	15만 원		

실제 장기 보유하고 있는 성장주 계좌

장기보유 계좌	▼	예수금	
종목명 ⇕	평가손익 ⇕	잔고수량 ⇕	매입가 ⇕
구분 ⇕	수익률 ⇕	평가금액 ⇕	현재가 ⇕
두산퓨얼셀	8,504,477	**337**	**9,214**
현금	273.88%	**11,609,650**	34,450
효성첨단소재	7,635,919	**26**	**115,310**
현금	254.69%	**10,634,000**	409,000
파인엠텍	1,731,484	**534**	**4,657**
현금	69.61%	**4,218,600**	7,900
비나텍	-4,872,798	**1,045**	**48,662**
현금	-9.58%	**45,980,000**	44,000

출처: 나무증권 앱(2023.2)

두산퓨얼셀과 효성첨단소재의 보유 수량 일부는 수익 실현 후 나머지는 보유 중입니다. 두 기업과는 3년 가까운 기간 동안 함께하고 있죠. 파인엠텍 역시 파인테크닉스에서 인적 분할되기 전부터 2년 6개월 이상 보유 중입니다. 이미 충분한 수익을 안겨준 종목이라 편안한 마음으로 가지고 있습니다. 제가 굳이 계좌를 공개한 이유는 비나텍이라는 종목 때문입니다. 1년 6개월 이상 보유하고 있지만 여전히 마이너스 수익률인 종목도 존재한다는 점을 알려드리고 싶었습니다. 주가가 항상 우상향하리란 보장은 없습니다. 장기 보유를 할 때도 마찬가지죠. 의미 있는 주가 상승은 많은 투자자가 지쳐 떠나간 후에 갑작스레 일어납니다. 그러니 수익을 위해서라도 인내는 필수입니다. 인내심이 부족한 사람에게는 절대로 큰 수익이 따를 수 없다는 사실을 기억하십시오.

저는 저평가된 종목을 찾기 위해 그동안 많은 시간과 에너지를 쏟았습니다. 아이러니하게도 시간의 자유를 얻기 위해서 수많은 시간을 들인 것이죠. 투자법을 바꾸지 않는 이상 시간의 자유는 결국 허상에 불과하다는 것이 제가 내린 결론입니다. 앞으로도 배당연금을 매년 점진적으로 불려나갈 계획입니다. 커지는 배당연금만큼 성취감과 행복도 함께 커지리라 확신합니다. 현재 목표는 '배당연금 월 300만 원 만들기'이지만, 단지 상징일 뿐입니다. 능력이 되는 대로 끝없이 늘려가는 것이 진짜 목표입니다. 조급함만 내려놓는다면 누구나 가능합니다. 저 역시 완성형이 아닌 진행형입니다. 다음 장에서 보다 확실한 전략을 알려드리겠습니다.

3부

PLAN

자산 불리는
투자 전략

01

절대로 실패하지 않는 완벽한 알고리즘

20년 후 상위 1% 투자자 되는 법

스포츠의 세계에서는 기간보다 기록이 중요합니다. 전성기가 짧은 선수라도 기록이 있으면 역사에 남습니다. 반면 10년 동안 꾸준히 10위권을 유지한 선수는 역사에 기록되기 어렵죠. 투자의 세계는 조금 다릅니다. 반짝 수익률 1위를 기록한 사람을 두고 투자의 대가라 부르지 않습니다. 오랫동안 꾸준한 성과를 내야 그 반열에 듭니다.

좋은 예가 있습니다. 2020년, 아크인베스트먼트는 전 세계적으로 주목받는 자산운용사였습니다. 2020년 4월부터 2021년 2월까지 파괴적 혁신 기업을 담은 ARKK라는 ETF 상품이 300퍼센트가 넘는 엄청난 수익률을 기록했으니까요. 그뿐만 아닙니다. 미국에 상장한 ETF 중 2020년 성과가 가장 우수한 상위 5개 펀드에 아크인베스트먼트의 ARKK, ARKG, ARKW, ARKF, ARKQ가 모두 이름을 올렸습니다. 아크인베스트의 CEO 캐서린 우드Catherine Wood는 단 1년 만에 월가에서 가장 뜨거운 관심을 받는 스타가 됐죠. '워런 버핏의 시대가 가고 캐서린 우드의 시대가 온다'는 말이 저기저기서 들릴 정도였습니다. 그러나 그 말이 무색하게도 2020년 수익률 1위를 기록한 ARKK는 불과 2년 만에 모든 수익을 날려버렸습니다. 이제 버핏과 캐서린 우드를 비교하는 사람은 없습니다. 이처럼 단기간에 큰 수익을 내는 것도 중요하지만 그보다 더 중요한 건 꾸준한 수익을 오랫동안 지켜가는 겁니다.

아크인베스트의 ETF상품인 ARKK를 잠시 살펴보겠습니다. ARKK는 파괴적 혁신 기업 30여 개로 이뤄져 있습니다. 여기서 파괴적 혁신이란 세계를 변화시킬 수 있는 기술을 활용한 제품이나 서비스를 의미합니다. 성장 가능성이 큰 고성장주만 담겨 있다고 해도 무방합니다. 이는 성장에 대한 기대감으로 주가가 크게 오르기도 하지만, 기대가 실망으로 바뀌는 순간 주가가 곤두박질친다는 의미이기도 합니다. ARKK의 지난 3년간 주가가 모든 것을 증명합니다. ARKK는 매일 종목 교체가 이뤄지고, 담당 펀드매니저가 투자자를 대신해 매수와 매도를 진행하며 포트폴리오를 관리하죠. 이와 같이 펀드매니저의 운용 재량으로 포트폴리오 구성이 달라지는 펀드를 액티브^{Active} 펀드라고 부릅니다. ARKK는 대표적인 액티브형 ETF 상품입니다. 액티브 펀드는 펀드매니저의 수고가 담겨 있기 때문에 일반적으로 수수료가 높게 책정돼 있습니다. 정리하자면, 비싼 수수료를 내고 유능한 펀드매니저에게 우리의 포트폴리오를 전적으로 맡기는 겁니다. 하지만 유능한 펀드매니저라고 해서 항상 좋은 수익을 내지는 못합니다. 2020년처럼 수익률이 좋은 시기에는 비싼 수수료가 아깝지 않을 테지만, 2021년과 2022년처럼 수익률이 형편없는데 비싼 수수료까지 내야 한다면 분노가 치밀 겁니다.

액티브 펀드와 완전히 다른 방식으로 운용되는 상품도 있습니다. 바로 패시브^{Passive} 펀드입니다. 가장 대표적인 패시브형 ETF로는 SPY, VOO, IVV, SPLG가 있습니다. 4개 상품 모두 미국 주식시장을 대표하는 S&P500을 따라 최대한 비슷하게 주가가 움직이도록 설계돼 있습니다. 액티브 펀드는 펀드매니저의 운용 재량이 중요하지만, 패시브 펀드는 펀드가 추종하는 기초 지수가 중요합니다. 일반적으로 수수료도 저렴합니다. 그렇다고 액티브 펀드보다 수익률이 꼭 저조할까요? 재밌는 결과 하나를 보시죠.

다음 이미지 자료를 'SPIVA 스코어카드'라 부릅니다. 여기서 SPIVA는 Standard&Poor's Indices Versus Active의 약자입니다. 쉽게 말해 패시브 펀드(S&P500 추종)와 액티브 펀드(대형주 펀드) 간의 수익률 대결을 나타낸 자료입니다. 2023년 기준으로 지난 1년간

S&P500 VS 모든 대형주 펀드
(1년 투자 성과 비교)

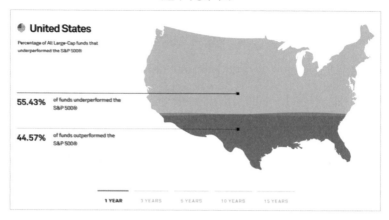

S&P500 VS 모든 대형주 펀드
(10년 투자 성과 비교)

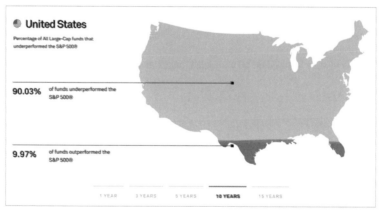

출처: S&P 글로벌(2023)

패시브 펀드보다 더 나은 수익률을 기록한 액티브 펀드의 비중은 44.57퍼센트입니다(위 이미지 참조). 단기적으로 봤을 때 S&P500을 추종하는 패시브 펀드의 성과는 전체 펀드의 평균 수준이라는 것을 알 수 있습니다. S&P500에 포함된 500개 기업이 미국 상장기업 시가총액의 80퍼센트 이상을 포함하고 있으니 중간 정도의 성과를 낸 건 어쩌면 당연한 결과일 수 있습니다. 그런데 기간을 10년으로 늘려보면 놀라운 일이 펼쳐집니다. 지난 10년간 S&P500보다 좋은 성과를 낸 액티브 펀드는 9.97퍼센트에 불과합니다(아래 이미지 참조). 90퍼센트가 넘는 액티브 펀드가 S&P500을 이기지 못한 것이죠.

앞서 소개한 아크인베스트의 액티브 펀드를 떠올려보면 그 이유를 쉽게 짐작할 수 있습니다. 트렌드에 따라 수많은 펀드가 새롭게 탄생합니다. 하지만 트렌드는 계속해서 변하죠. 트렌드와 같은 방향을 향할 때는 큰 수익을 내지만 반대 방향을 향하는 순간 손실이 커집니다. 다시 말해 ARKK 주가가 무너진 건 큰 수익을 내지 못해서가 아니라 큰 손실을 피하지 못했기 때문입니다. S&P500은 10년간 평균 수익을 내면서 큰 손실을 피해왔지만 다른 펀드는 그러지 못했던 겁니다.

자료에서 보았듯 S&P500을 추종하는 ETF로 10년간 꾸준히 평균 수익을 내는 투자를 이어가면 어렵지 않게 상위 10퍼센트 투자자가 될 수 있습니다. 그 상태로 다시 한번 S&P500과 10년을 보내면 상위 1퍼센트 투자자도 문제없습니다. 큰 욕심을 버리고 20년간 평균 수익률을 기대했을 뿐인데 시간이 지나고 나서 보니 상위 1퍼센트 투자자가 되어 있는 것이죠.

처음부터 상위 1퍼센트 수익률을 꿈꾸며 투자에 임하면 20년 후 절대로 목표를 이룰 수 없습니다. 주식 투자는 패배하면 탈락하는 서바이벌 게임입니다. 끝까지 패배하지 않아야 합니다. 평균 수익만 내는 S&P500이 10년 후 상위 10퍼센트까지 올라설 수 있는 이유는 10년 동안 패배하지 않았기 때문입니다. 비기기만 해도 살아남을 수 있는데 대부분은 승리하기 위해 무리한 시도를 합니다. 패배 가능성도 함께 높인다는 사실을 간과하면서 말이죠.

펀드매니저가 노력한다고 수익률이 높아지지는 않습니다. 매매가 잦아질수록 수수료만 더 높아질 뿐입니다. 버핏이 재산의 90퍼센트는 S&P500 인덱스Index 펀드에 투자하라는 내용을 유서에 남겼다는 건 이미 너무 많이 들어서 지겨울 만한 내용입니다. 여기에 살을 조금 덧붙여보겠습니다. 버핏은 중간만 가자는 생각으로 S&P500을 선택한 것이 결코 아닙니다. 단기적으로는 평균 수익률을 따르겠지만 장기적으로 S&P500을 이길 수 있는 개별 종목과 펀드는 없다고 판단했기 때문일 겁니다.

영원한 기업은 없습니다. 기업도 늙고 쇠퇴하며 언젠간 사라집니다. 그러나 S&P500은 우량한 기업으로 끊임없이 종목 교체가 이뤄져 왔으며 앞으로도 그럴 겁니다. 시간이 흘러 개별 기업은 사라져도 S&P500은 미국 경제가 무너지지 않는 이상 영원히 사라지지 않습니다. 평범한 개인 투자자가 평균 이상의 성과를 낼 수 있는 가장 현명한 방법은 평균을 목표로 오랫동안 살아남는 겁니다. 가장 대표적인 방법은 S&P500 ETF 장기 보유입니다. 주식시장을 단기적으로 보면 S&P500 ETF는 평균 성과만 가져다주는 재미없는 상품이고, 장기적으로 보면 상위 1퍼센트 투자자가 될 수 있는 가장 쉽고 안전한 선택지입니다.

배당 성장 관점에서 분석한 S&P500

이쯤에서 목표를 되새겨보겠습니다. 우리 목표는 안정적인 배당연금 파이프라인을 만드는 겁니다. 그렇다면 S&P500 ETF로 탄탄한 배당연금 파이프라인까지 만들 수 있을까요? 가능한 일인지 하나하나 따져보도록 하겠습니다.

배당 성장을 위해서는 시간이 필요합니다. 배당 성장주를 매도하지 않고 오랫동안 보유해야만 제대로 된 혜택을 누릴 수 있습니다. 다만 앞서 말했듯 기업도 인간처럼 수명이 있기 때문에 개별 종목을 영원히 보유하기란 불가능에 가깝습니다. 개별 종목으로 만든 배당연금 파이프라인은 언젠가 망가질 가능성이 있다는 것이죠. 만에 하나 그런 상황이 발생한다면 처음부터 다시 파이프라인을 만들어나가야 합니다. 하지만 S&P500 ETF는 자동으로 종목 교체가 이뤄지기 때문에 개별 종목으로는 꿈꿀 수 없었던 평생 보유가 가능합니다.

SPIVA 스코어카드를 통해 유능한 펀드매니저가 매수와 매도를 수없이 반복해도 S&P500을 이기지 못한다는 사실을 확인했었죠. 수익과 효율 모두 S&P500 ETF가 유리하며, 개별 종목보다 분명 안정적인 파이프라인입니다. 이 파이프라인에 배당연금까지 원활하게 흘러주면 S&P500 ETF를 모아가는 것이 가장 좋습니다. S&P500을 추종하는 대표 ETF 4개를 배당 성장 관점에서 분석해보겠습니다.

4개의 ETF 모두 세계적인 자산운용사에서 안정적으로 운용하고 있는 상품입니다. 먼저 배당연금을 만들 때 가장 중요한 2개의 축인 배당 수익률과 배당 성장률을 살펴보겠습니다. 배당 수익률은 1.7퍼센트 미만으로 모두 비슷합니다. 5년 평균 배당 성장률은 약간의 편차가 있긴 하지만 그 차이가 심하진 않습니다. 수수료와 운용 안정성 측면에서는 국내 ETF와는 비교할 수 없을 정도로 모두 좋습니다. 우선 수수료가 다른 상품에 비해 높은 SPY는 투자 대상에서 제하겠습니다. 같은 지수를 추종하는 상품에 굳이 더 많은 수수료를 지불해야 할 필요는 없으니까요.

적립식으로 모아갈 계획이라면 주당 가격이 낮은 SPLG 선택이 좋아 보입니다. 적립식 투자는 여유자금이 생길 때마다 꾸준히 모아야 합니다. 1주당 50만 원 가까운 종목을 모아가는 것보다는 6만 원 이내의 종목을 모아가는 편이 부담이 적습니다. 다만 액면분할에 의해 주당 가격은 언제든지 달라질 수 있습니다.

4개의 ETF 모두 좋은 상품이지만 배당연금 파이프라인을 만들기에는 다소 아쉽습니다. 배당 수익률이 1.6퍼센트인 점부터 마음에 걸립니다. 40세에 1억 원을 투자했다고 가정하면 1년에 160만 원의 배당금을 받게 됩니다. 배당 소득세 15퍼센트를 제외하면 실제로 받게 되는 배당금은 136만 원이죠. 월 기준으로는 11만 원 정

S&P500을 추종하는 대표 ETF 비교
(2023년 3월 기준)

	배당 수익률 (%)	5년 평균 배당 성장률 (%)	배당 지급 시기 (월)	수수료 (%)	주당 가격 (달러)	자산운용사
SPY	1.61	5.65	1, 4, 7, 10	0.09	385	스테이트스트리트
VOO	1.65	6.37	3, 6, 9, 12	0.03	355	뱅가드그룹
IVV	1.63	6.32	3, 6, 9, 12	0.03	388	블랙록
SPLG	1.65	6.79	3, 6, 9, 12	0.03	45	스테이트스트리트

40세부터 1억 원을 S&P500에 투자할 경우

40세	52세	64세	76세	88세
월 11만 원	월 22만 원	월 44만 원	월 88만 원	월 176만 원

도입니다. 1억 원을 투자한 것치고 배당연금이 크다고 볼 수 없죠. 그보다 더 큰 문제는 성장입니다. 배당 성장률이 6퍼센트 정도이므로 12년이 지나야 2배가 됩니다.

6퍼센트의 배당 성장도 대단한 성과라고 할 수 있습니다. 하지만 배당금이 12년마다 2배씩 성장한다면 기다림 자체가 지루하게 느껴질 겁니다. 배당연금 파이프라인을 만드는 관점에서는 별로 만족스럽지 못한 결과입니다. S&P500으로 만든 파이프라인은 시간이 흘러도 녹슬지 않는 탄탄함을 자랑합니다. 문제는 파이프라인을 통해 흐르는 배당연금이 우리가 원하는 수준이 아니라는 것이죠. 저는 앞서 개인적으로 '배당 수익률 2.5퍼센트, 배당 성장률 8퍼센트 이상'인 배당 성장주를 선호한다고 말했었습니다. 그럼 해당 배당 성장주로 40세부터 1억 원을 투자했다면 결과는 어떻게 될까요? 세후 월 17만 원의 배당금을 받게 됩니다. 배당 성장률 8퍼센트인 경우 배당금이 9년마다 2배로 증가하게 되죠.

종합하자면, 배당 수익률이 1.6퍼센트에서 2.5퍼센트로, 배당 성장률이 6퍼센트에서 8퍼센트로 증가하면, 40세에 똑같은 투자금

40세부터 1억 원을 '배당 수익률 2.5%, 배당 성장률 8%'인 종목에 투자할 경우

40세	49세	58세	67세	76세	85세
월 17만 원	월 34만 원	월 68만 원	월 136만 원	월 272만 원	월 544만 원

을 들여도 노후에 받게 될 배당연금은 3배 이상 차이 납니다. 어떤 종목으로 배당연금 파이프라인을 만들어가느냐에 따라 노후가 달라질 수 있다는 뜻입니다. 여기서 우리는 개별 종목이 아닌 ETF로 녹슬지 않는 파이프라인을 만들 수 있다는 중요한 사실을 배울 수 있습니다. 이제 우리는 S&P500의 장점은 그대로 유지하면서 배당연금도 만족스러운 수준으로 끌어올릴 수 있는 최고의 ETF를 찾아야 합니다.

최고의 배당 성장 ETF를 찾아라

미국의 배당 성장주가 배당금을 늘려온 기간에 따라 배당 킹(50년), 배당 귀족(25년), 배당 성취자(10년)라는 별칭이 붙는 것처럼, 미국에 상장한 배당 ETF 역시 배당 성장 기간에 따라 분류됩니다.

첫 번째로 NOBL을 보겠습니다. NOBL은 배당 귀족으로 구성된 ETF입니다. 쉽게 말해 S&P500에 포함된 기업 중 최소 25년 이상 꾸준히 배당금을 늘려온 기업으로만 포트폴리오를 구성합니다. 모

배당 성장 기간에 따라 분류한 배당 성장 ETF

배당 성장 기간	배당 성장 ETF
25년	NOBL
20년	SDY
10년	VIG
5년	DGRO

든 종목을 동일한 비중으로 편입하는 것이 특징입니다. 2023년 3월 기준 65개의 종목으로 구성돼 있으니 각 종목은 1.53퍼센트를 기준으로 비교적 고르게 담겨 있습니다. 배당 ETF 치고는 개수가 적은 편인데, 이는 곧 25년 이상 연속적으로 배당금을 늘리는 일이 결코 쉽지 않다는 방증이기도 하죠. 25년 이상 배당금을 늘려왔다는 말은 회사가 최단 25년 이상 건재하다는 의미이기도 합니다. S&P500 기업의 평균 수명을 한참 뛰어넘죠. 다음 이미지인 포트폴리오 비중 상위 10개 종목을 확인해보면 안정적이기는 하나 성장 가능성은 실제로 크지 않다는 사실을 알 수 있습니다.

수치는 매일 변합니다. 아무리 최신 정보라 해도 조금만 시간이 지나면 흘러간 정보가 됩니다. 따라서 책에 담긴 숫자에 의존하지 말고 직접 찾아보기 바랍니다. 시킹알파에서 NOBL을 검색한 후 'Momentum'이라는 탭을 클릭하면 S&P500과의 수익률 비교를 한

NOBL의 보유 비중 상위 10개 종목

Top 10 Holdings	
W.W. Grainger Inc	1.73%
Chevron Corp	1.71%
Nucor Corp	1.71%
Archer-Daniels Midland Co	1.69%
Exxon Mobil Corp	1.68%
Caterpillar Inc	1.67%
Albemarle Corp	1.66%
West Pharmaceutical Services Inc	1.65%
Automatic Data Processing Inc	1.65%
Franklin Resources Inc	1.64%
Total	16.79%
# of Holdings	65
*Holdings as of 2022-07-31	

출처: 시킹알파(2023)

눈에 확인할 수 있습니다. 지난 5년 수익률 비교까지는 무료로 제공됩니다. 무료 서비스만 활용해도 충분히 의미 있는 정보를 얻을 수 있습니다.

프라이스 리턴Price Return은 배당금 재투자를 고려하지 않은 수익률을 의미합니다. 오로지 주가 상승과 하락만으로 얻는 수익률이죠. 2021년 12월부터 2022년 12월까지 1년 동안 NOBL은 −4.65퍼센트, S&P500은 −16.53퍼센트의 수익률을 기록했습니다. 2022년에 깊은 하락장이 펼쳐졌기 때문입니다. 하락장에서는 NOBL이 S&P500보다 훨씬 강하다는 것을 확인할 수 있습니다. 그러나 5년간 수익률을 보면 NOBL보다 S&P500이 더 높죠. 정리하

NOBL과 S&P500의 최근 1년 프라이스 리턴 비교

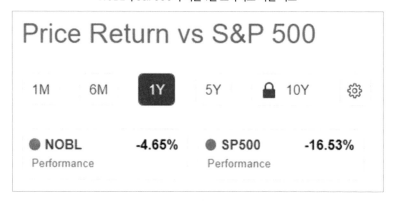

NOBL과 S&P500의 최근 5년 프라이스 리턴 비교

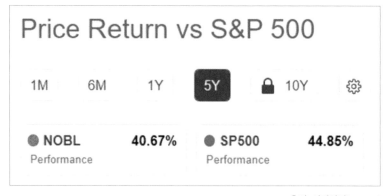

출처: 시킹알파(2022.12)

면, 하락장에서는 NOBL의 방어력이 S&P500보다 뛰어나지만, 상승장에서는 성장세가 더딘 기업으로만 구성된 NOBL이 S&P500만큼 좋은 성과를 내지 못한다는 얘기입니다.

토탈 리턴Total return은 배당금을 재투자한 수익률을 의미합니다. 배당금을 재투자하지 않은 5년 프라이스 리턴은 S&P500이 더 우세했으나 배당금을 재투자하니 결과가 바뀌었습니다. NOBL의 수익률이 약간 더 높은 것을 확인할 수 있습니다. 결과가 뒤바뀐 이유는 NOBL의 배당 수익률이 S&P500의 배당 수익률보다 높았기 때문입니다. 지난 5년간 S&P500의 평균 배당 수익률은 1.6퍼센트, NOBL은 대략 2퍼센트였습니다.

종합하자면 다음과 같습니다. 지난 5년 동안 NOBL은 주가 상승 면에서 S&P500보다 아쉬웠습니다. 하지만 배당금을 재투자했

NOBL과 S&P500의 최근 5년 토탈 리턴 비교

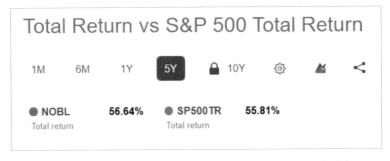

출처: 시킹알파(2022.12)

NOBL의 배당 정보 요약

Dividend Summary

Div Yield (TTM)	Annual Payout (TTM)	Payout Ratio	5 Year Growth Rate	Dividend Growth
1.91%	$1.74	-	9.37%	0 Years

출처: 시킹알파(2023.3)

다면 성과는 비슷했을 겁니다. 여기서 주의해야 할 점이 하나 있습니다. 현재 자료만 보고 '배당금을 재투자하면 NOBL은 S&P500과 비슷한 성과를 내는구나!'라고 쉽게 결론내서는 안 됩니다. NOBL과 S&P500의 5년 토탈 리턴 성과가 비슷해진 이유는 2022년의 깊은 하락장 때문입니다. 언젠가 하락장을 벗어나면 그때는 다시 S&P500이 NOBL을 앞서나갈 가능성이 높습니다. 현명한 장기 투자자라면 상승장, 하락장, 횡보장을 모두 고려해서 종목을 선택해야 합니다.

다음은 배당 성장 역사Dividend Growth History를 살펴보겠습니다. 배당 성장이 매년 꾸준히 이뤄져왔는지 아닌지는 연 배당 성장Annual Payout Growth을 보면 쉽게 판단할 수 있죠. 2017년에는 -3.05퍼센트, 2019년에는 -0.42퍼센트, 2022년에는 -6.24퍼센트로 배당이 역성장했습니다. 이처럼 배당이 역성장할 가능성이 있다면 배당 연금 파이프라인을 만들기에 적합한 ETF는 아닙니다.

NOBL의 배당 성장 역사

Dividend Growth History			Download to Spreadsheet 🔲
Year	Payout Amount	Year End Yield	Annual Payout Growth (YoY)	CAGR to 2022
2022	$1.7441	1.94%	-6.24%	-
2021	$1.8602	1.93%	8.98%	-6.24%
2020	$1.7069	2.22%	19.36%	1.08%
2019	$1.4300	2.02%	-0.42%	6.84%
2018	$1.4361	2.58%	28.88%	4.98%
2017	$1.1143	1.94%	-3.05%	9.37%
2016	$1.1493	2.42%	15.38%	7.20%
2015	$0.9961	2.34%	24.62%	8.33%
2014	$0.7993	1.89%	494.84%	10.24%
2013	$0.1344	0.37%	-	-

출처: 시킹알파(2023)

관심 있게 살펴야 할 부분이 1가지 더 있습니다. 다음 이미지 가장 우측에 있는 CAGR to 2022입니다. 이는 2022년까지의 연평균 배당 성장률을 의미합니다. 2014년을 예로 보겠습니다. 2014년부터 2022년까지 8년간 연평균 배당 성장률이 10.24퍼센트로 나와 있습니다. 표면적으로는 연평균 10퍼센트 내외의 엄청난 배당 성장을 해온 것처럼 보이지만 잘 들여다보면 안정적인 성장이 아니라는 사실을 알 수 있습니다. 더불어 배당 수익률이 2.5퍼센트에 못 미치는 점도 아쉽습니다.

두 번째로 확인해볼 ETF는 SDY입니다. SDY는 S&P500에서 20년 이상 꾸준히 배당금을 늘려온 120여 개의 종목으로 구성돼 있습니다. 2022년까지만 해도 110여 개 종목이었는데 요건을 충족한 기업이 늘면서 ETF를 구성하는 종목도 함께 증가했습니다. 여기서 테마별 해외 ETF 투자 정보를 제공하는 사이트를 하나 알려드립니다. 이자ezar 입니다. 전략별·국가별·섹터별 주요 정보를 간략히 확인하고자 할 때는 국내 사이트인 이자가 보다 편리합니다.

본론으로 돌아가, SDY는 NOBL에 비해 종목 선정 기준이 덜 엄격합니다. 충족해야 하는 배당 연속 성장 기간이 25년에서 20년으로 5년이나 줄기 때문이죠. 기준이 낮아진 만큼 종목 수는 늘어납니다. 2023년 3월 기준 SDY의 배당 수익률은 2.6퍼센트입니다. 단 2.6퍼센트 수준을 꾸준히 유지해왔는지는 확인이 필요합니다.

다음 이미지에서 평균 배당 수익률Average Yield을 살펴보겠습니다. 2015년 4.96퍼센트, 2016년 5.62퍼센트, 2018년 4.83퍼센트처럼

SDY의 연도별 배당 수익률

Year	Year End Yield	Average Yield	Max Yield	Min Yield
2023	-	2.50%	2.58%	2.42%
2022	2.59%	2.69%	2.94%	2.49%
2021	2.63%	2.67%	2.91%	2.48%
2020	2.85%	2.94%	4.07%	2.43%
2019	2.45%	2.45%	2.78%	2.33%
2018	2.73%	4.83%	5.30%	2.73%
2017	4.69%	3.21%	4.72%	2.93%
2016	3.30%	5.62%	6.67%	3.27%
2015	6.20%	4.96%	6.35%	4.69%
2014	4.74%	3.92%	4.74%	3.67%
2013	3.95%	2.69%	4.00%	2.39%

출처: 시킹알파(2023.3)

SDY의 배당 성장 역사

Dividend Growth History

Download to Spreadsheet

Year	Payout Amount	Year End Yield	Annual Payout Growth (YoY)	CAGR to 2022
2022	$3.1952	2.55%	-5.78%	-
2021	$3.3913	2.70%	12.23%	-5.78%
2020	$3.0216	3.01%	14.45%	2.83%
2019	$2.6401	2.68%	8.14%	6.57%
2018	$2.4413	3.05%	-44.87%	6.96%
2017	$4.4283	5.38%	56.65%	8.76%
2016	$2.8269	3.98%	-38.05%	6.13%
2015	$4.5629	7.72%	22.11%	7.28%
2014	$3.7386	6.27%	30.21%	7.54%
2013	$2.8696	5.48%	50.31%	7.69%
2012	$1.9092	4.75%	9.82%	5.28%
2011	$1.7384	4.82%	-0.21%	5.69%
2010	$1.7420	5.18%	0.54%	5.18%
2009	$1.7327	6.00%	-21.45%	4.82%
2008	$2.2057	9.10%	15.02%	2.68%
2007	$1.9177	6.10%	-	12.09%

출처: 시킹알파(2023.3)

높은 배당 수익률을 기록한 해도 있지만 2019년부터는 2퍼센트 중반대를 유지하고 있습니다. 제 기준은 배당 수익률 2.5퍼센트 이상이기 때문에 합격선입니다. 하지만 배당 성장 역사를 확인해보면 문제가 있습니다. SDY도 NOBL과 마찬가지로 배당 성장이 꾸준히 이뤄지지 않고 있기 때문이죠. 2016년에는 −38.05퍼센트, 2018년에는 −44.87퍼센트로 배당이 큰 폭으로 역성장했습니다. 안정적인 배당연금 파이프라인을 만들기에는 적합하지 않은 데이터죠.

정리하면, SDY는 2.5퍼센트 이상의 배당 수익률을 기대할 수 있지만 안정적인 배당 성장까지 기대하기는 어렵습니다. 주가 상승

면에서도 많이 아쉽습니다. 배당금을 재투자하더라도 문제는 해결되지 않습니다. S&P500 수익률에 미치지 못하기 때문입니다. 하락장을 벗어난다면 SDY와 S&P500의 수익률 격차는 더욱 커질 가능성이 높습니다.

세 번째로 확인할 ETF는 VIG입니다. VIG는 배당금을 10년 이상 늘려온 기업으로 포트폴리오를 구성합니다. 배당 성장 기간을 10년이나 줄이니 SDY보다 훨씬 많은 종목으로 구성되겠죠. 그 수가 무려 290여 개에 달합니다. NOBL, SDY의 구성 종목에는 투자자가 관심을 끌 만한 익숙한 기업이 별로 없었으나 VIG는 조금 다릅니다. VIG는 배당 ETF 가운데 운용자산 규모가 가장 크며, 운용 수수료도 0.06퍼센트로 NOBL과 SDY에 비해 상당히 저렴합니다. 2014년 이후에는 배당이 역성장한 해도 없습니다. 그러나 2019년 이후 배당 수익률은 2퍼센트에 미치지 못합니다. 최근 3년간 배당 성장률은 연평균 10퍼센트를 넘지만 2015년부터 2020년까지 5년간은 연평균 4.77퍼센트로 저조한 편입니다. 2021년과 2022년 배당 성장 데이터만 보면 매력적이지만, 조금 더 길게 보면 그렇지 않습니다. 배당 수익률과 배당 성장률 모두 만족할 만한 수준이 아니죠.

투자 환경과 추구하는 가치는 서로 다르기 때문에 좋은 종목, 안 좋은 종목으로 구분해서는 안 됩니다. 그저 자신에게 맞는 종목, 맞지 않는 종목이 있을 뿐입니다. 앞서 소개한 NOBL, SDY, VIG는 오랜 기간 배당금을 늘려온 훌륭한 기업으로 구성돼 있습니다. 안정성을 무엇보다 중요한 가치로 생각하면 상당히 훌륭한 선택지입니다. 하지만 배당연금 파이프라인을 만드는 것을 지향한다면 조금 더 냉정해져야 합니다. 앞서 언급했듯 제 기준은 '배당 수익률 2.5퍼센트, 배당 성장률 8퍼센트 이상을 꾸준히 유지'할 수 있는 ETF입니다. NOBL, SDY, VIG는 배당 성장 대표 ETF이지만 제가 세운 기준에는 맞지 않기에 과감히 투자 대상에서 제외했습니다.

마지막으로 살펴볼 ETF는 DGRO입니다. 비교적 최근인 2014년 6월에 출시된 DGRO는 5년 이상 배당금을 늘려온 400여 개의 기업으로 구성돼 있습니다. 상위 10개 종목에는 마이크로소프트, 애플과 같은 대형 기술주도 포함돼 있습니다. NOBL과 SDY는 하락장에서는 강했지만 상승장에서는 아쉬울 때가 많았습니다. 그에 반해 DGRO는 배당금을 재투자하지 않아도 지난 5년간 수익률이 S&P500과 비슷한 수준이라는 점에서 눈여겨볼 만합니다. 또한 깊은 하락장이 펼쳐졌던 2022년 한 해 동안 S&P500보다도 잘 버텨줬죠. 하락장에 강하고 상승장에서도 비교적 선방할 수 있겠다는 기대감이 듭니다. 주가 흐름 측면에서는 S&P500에 견줘도 크게 부족하지 않아 보입니다.

배당 수익률과 배당 성장률도 살펴보겠습니다. 배당 수익률은 2.5퍼센트 내외에서 비교적 안정적으로 움직이고 있습니다. 배당

DGRO와 S&P500의 최근 1년 프라이스 리턴 비교

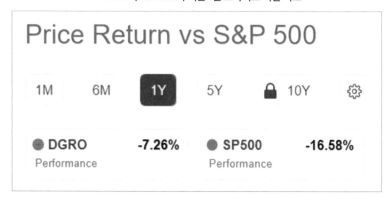

DGRO와 S&P500의 최근 5년 프라이스 리턴 비교

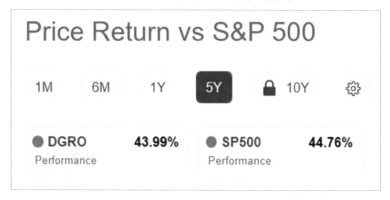

출처: 시킹알파(2022.12)

이 역성장한 해가 없다는 점도 긍정적입니다. 여기서 1가지 중요한 내용을 짚고 넘어가겠습니다. DGRO는 꾸준히 2.2퍼센트 이상의 배당 수익률을 유지해오다 2021년 1.9퍼센트대로 떨어졌습니다. 심지어 전년도에 지급했던 배당금보다 더 높은 배당금을 지급했는데도 말이죠. 왜 그럴까요? 그 이유는 배당 성장 속도보다 주가 상승 속도가 더 빨랐기 때문입니다.

배당금이 성장하면 배당 수익률 또한 높아집니다. 지난해 100원의 배당금을 지급한 종목이 올해 200원의 배당금을 지급한다면 당연히 올해 배당 수익률은 지난해의 2배가 돼야 합니다. 그런데 여기에 중요한 가정 하나가 숨어 있습니다. 주가가 움직이지 않고 그대로 유지돼야 한다는 가정입니다. 1년 동안 주가가 움직이지 않은 상태에서 배당금이 2배로 성장하면 배당 수익률도 2배로 커지겠죠. 하지만 주가가 변하면 어떻게 될까요? 주가와 배당 수익률은 서로 반대 방향으로 움직입니다. 주가가 내려가면 배당 수익률은 높아집니다. 반대로 주가가 오르면 배당 수익률은 낮아집니다. 주가가 크게 하락했을 때 매수하면 높은 배당 수익률을 누리게 되는 것이죠. 이제 두 상황을 하나로 합쳐보겠습니다.

지난해 100원의 배당금을 지급했던 기업이 올해는 200원을 지급한다고 합니다. 주가 역시 작년의 2배 수준으로 올랐다면 빠르다면 배당 성장과 주가 상승이 동일한 수준으로 이뤄진 경우 배당 수익률은 오르지도 떨어지지도 않습니다. 배당 성장 속도보다 주가 상승 속도가 더 빠르다면 어떨까요? 그럼 주가 상승의 영향을 더 크게 받아 배당 수익률은 기존보다 낮아지게 됩니다.

다시 DGRO 이야기로 돌아가겠습니다. DGRO는 2020년보다 2021년에 더 많은 배당금을 지급했습니다. 그러나 배당 수익률은 2.4퍼센트에서 1.97퍼센트로 낮아졌죠. 배당 성장 속도보다 주가 상승 속도가 빨랐기 때문입니다. 실제로 DGRO의 배당금은 2021년에 고작 4.18퍼센트 늘어난 반면, 주가는 26퍼센트나 상승했습니다. 만약 배당 수익률이 매년 꾸준한 수준으로 유지되고 있다면 주가 상승과 배당 성장이 비슷한 속도로 이뤄지고 있다는 의미입니다. 아직까지 DGRO의 배당이 역성장한 적은 없습니다. 하지만 2016년 배당 성장률 1.44퍼센트, 2021년 배당 성장률 4.18퍼센트

DGRO의 배당 성장 역사

Dividend Growth History			Download to Spreadsheet
Year	Payout Amount	Year End Yield	Annual Payout Growth (YoY)	CAGR to 2022
2022	$1.1679	2.34%	8.97%	-
2021	$1.0718	1.97%	4.18%	8.97%
2020	$1.0288	2.40%	10.55%	6.55%
2019	$0.9306	2.38%	14.85%	7.87%
2018	$0.8103	2.69%	14.86%	9.57%
2017	$0.7055	2.28%	7.44%	10.61%
2016	$0.6566	2.62%	1.44%	10.07%
2015	$0.6473	2.97%	151.15%	9.07%
2014	$0.2577	1.17%	-	38.02%

출처: 시킹알파(2023)

에서 알 수 있듯, 배당 성장이 고르게 이뤄지지 못하고 있다는 점에서 조금 아쉽습니다. 또한 2018년부터 2021년까지 4년에 걸쳐 배당 성장률이 점진적으로 낮아졌던 것도 DGRO 선택을 망설이게 만드는 이유 중 하나입니다.

　지금까지 배당 성장 기간에 따른 배당 성장 ETF 4개를 살펴보았습니다. NOBL, SDY, VIG, DGRO 중에서 배당연금 파이프라인을 만들기에 가장 적합한 ETF는 DGRO로 보입니다. 하락장에 강하면서도 상승장에서 소외되지 않을 만한 힘을 갖추고 있기 때문입니다. 무엇보다 제가 세운 기준에 가장 근접합니다. 하지만 연평균 성과가 아닌 매년 성과를 확인해보면 배당연금이 줄어들지도 모른다는 불안을 느낄 만한 시기도 분명 있습니다. 더 좋은 대안이 없다면 약간의 찝찝함을 남긴 채 DGRO를 선택했겠죠. 저는 한 발짝 더 나아가 훨씬 더 만족스러운 대안을 찾아나섰습니다.

02

SCHD의 매력

SCHD는 S&P500을 대체할 수 있을까?

기업은 성장이 끝나는 순간 노화가 시작됩니다. 하지만 S&P500
은 미국을 대표하는 우량한 종목으로 포트폴리오를 끊임없이 교체
하면서 지속적인 성장을 이어나갑니다. 이러한 S&P500의 장점은
그대로 유지하면서 의미 있는 수준의 배당연금까지 안정적으로 만
들어갈 수 있는 ETF를 찾는 것이 우리의 목표입니다. 다만 앞서 본
NOBL, SDY, VIG, DGRO는 S&P500 ETF를 대체할 수 있을 만큼의 장
점을 찾기 어려웠습니다.

지금부터 설명할 배당 성장 ETF는 다릅니다. 상당한 매력을 갖
추고 있는 이 ETF는 바로 미국을 대표하는 금융 서비스 회사 찰스
슈왑의 SCHD입니다. 배당 정보부터 확인하겠습니다.

SCHD의 배당 수익률은 3.42퍼센트로 지난 5년간 연평균 배당 성장률은 무려 13.74퍼센트에 달합니다. 2011년 10월에 상장한 이래 단 한 해도 빠짐없이 꾸준히 배당금을 늘려왔습니다. 참고로 S&P500 ETF의 배당 수익률은 1.6퍼센트, 5년 평균 배당 성장률은 6퍼센트 내외입니다. 이해를 돕기 위해 다음 표에서 40세에 S&P500 ETF와 SCHD에 각각 1억 원을 투자했을 때 받게 될 배당연금을 살펴보기 바랍니다. 적어도 배당 관점에서는 S&P500이 SCHD의 비교 대상이 될 수 없다는 점을 쉽게 확인할 수 있습니다. 심지어 이 수치는 SCHD의 배당 수익률을 3퍼센트, 배당 성장률을 12퍼센트로 실제보다 낮게 계산한 겁니다. S&P500의 배당금은 12

SCHD의 배당 정보 요약

Dividend Summary				
Div Yield (TTM)	Annual Payout (TTM)	Payout Ratio	5 Year Growth Rate	Dividend Growth
3.42%	$2.56	-	13.74%	10 Years

출처: 시킹알파(2023.3)

40세부터 S&P500과 SCHD에 1억 원을 투자할 경우
(배당 수익률 3%, 배당 성장률 12% 가정)

	40세	52세	64세	76세	88세
S&P500	월 11만 원	월 22만 원	월 44만 원	월 88만 원	월 176만 원
SCHD	월 21만 원	월 84만 원	월 336만 원	월 1344만 원	월 5376만 원

년마다 2배씩 성장해나가지만, SCHD의 배당금은 6년마다 2배씩 성장해나갑니다. 12년이 흐르면 SCHD의 배당금은 4배가 되는 것이죠. 시간이 흐를수록 둘 사이의 배당연금 차이는 급격히 벌어집니다. SCHD의 배당연금이 커나가는 속도가 비현실적으로 보일 지경입니다. 신뢰할 수 있는 수치인지 배당 자료를 보다 꼼꼼히 살펴보겠습니다.

2011년 10월에 상장했기 때문에 자료는 2012년부터 확인하면 됩니다. 다음 SCHD의 배당 성장 역사를 살펴보면 2012년부터 2022년까지 매년 꾸준하게 배당금을 늘려온 것을 확인할 수 있습니다. 최근 5년간 연평균 배당 성장률은 13.74퍼센트였지만, 10년 연평균 배당 성장률은 12.2퍼센트입니다. 앞서 표에서 SCHD의 배당 성장률을 12퍼센트로 계산한 이유입니다.

SCHD는 상장 이후 지난 10년 동안 6년에 2배 수준으로 배당금을 꾸준히 늘려왔습니다. 연 배당 성장을 보면 2017년과 2018년에는 배당 성장률이 7퍼센트 아래로 잠시 내려갔습니다. 하지만 위기라고 보기도 애매합니다. 성장률이 떨어졌지만 S&P500의 평균 배당 성장률인 6퍼센트보다 높았기 때문이죠. 연말 배당 수익률^{Year} $^{End\ Yield}$도 안정적입니다. 2021년의 2.88퍼센트를 제외하면 3퍼센트대를 유지하고 있습니다. 2021년에 배당 수익률이 2.88퍼센트로 낮아진 건 배당금이 줄어서가 아니라 주가 상승 속도가 더 빨랐

SCHD의 배당 성장 역사

Dividend Growth History

Download to Spreadsheet

Year	Payout Amount	Year End Yield	Annual Payout Growth (YoY)	CAGR to 2022
2022	$2.5615	3.39%	13.90%	
2021	$2.2490	2.88%	10.88%	13.90%
2020	$2.0284	3.37%	17.64%	12.38%
2019	$1.7242	3.30%	19.79%	14.10%
2018	$1.4393	3.51%	6.96%	15.50%
2017	$1.3457	3.10%	6.97%	13.74%
2016	$1.2580	3.50%	9.72%	12.58%
2015	$1.1466	3.71%	9.52%	12.17%
2014	$1.0469	3.38%	15.83%	11.83%
2013	$0.9038	3.26%	11.58%	12.27%
2012	$0.8100	3.88%	565.57%	12.20%
2011	$0.1217	0.65%	-	-

출처: 시킹알파(2023)

기 때문입니다. 따라서 부정적인 요소로 보기 어렵습니다.

SCHD는 지난 10년간 제가 정한 기준을 여유롭게 초과 달성해온 엄청난 상품입니다. 장기간 보유하면서 배당연금을 기하급수적으로 늘려나가고 싶은 투자자에게는 가장 완벽한 선택지로 보입니다. 이 정도로 매력적인 ETF가 S&P500과 비슷한 성과를 낼 수만 있다면 얼마나 좋을까요? 이제 S&P500과 나란히 놓고 SCHD의 장단점을 낱낱이 분석해보겠습니다.

먼저 2022년 한 해 동안의 프라이스 리턴과 토탈 리턴을 함께 보겠습니다. S&P500의 주가가 −18.64퍼센트씩이나 하락하는 동안 SCHD는 −5.04퍼센트밖에 하락하지 않았습니다. 엄청난 하락장 속에서 S&P500보다 훨씬 우수한 방어 능력을 보여준 셈입니다. 만약 배당금을 재투자했다면 결과는 어떻게 변할까요? S&P500 의 수익률은 −17.3퍼센트로 조금 높아집니다. SCHD도 배당금을 재투자하면 수익률이 −1.7퍼센트까지 상승합니다. S&P500보다

SCHD와 S&P500의 최근 1년 프라이스 리턴 비교

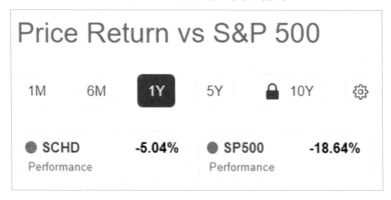

SCHD와 S&P500의 최근 1년 토탈 리턴 비교

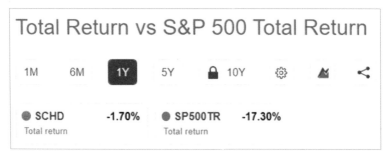

출처: 시킹알파(2022.12)

SCHD의 배당 수익률이 더 높았기 때문에 SCHD의 토탈 리턴이 더 많이 상승한 것이죠.

이번에는 지난 5년간의 성과를 비교해보겠습니다. S&P500의 주가가 43.28퍼센트 상승하는 동안 SCHD의 주가는 47.72퍼센트 상

SCHD와 S&P500의 최근 5년 프라이스 리턴 비교

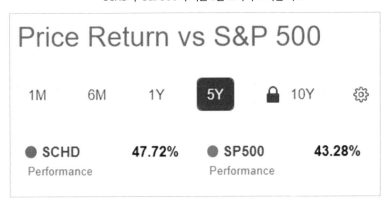

SCHD와 S&P500의 최근 5년 토탈 리턴 비교

출처: 시킹알파(2022.12)

승했습니다. 지난 5년간 수익률도 SCHD가 4.5퍼센트 정도 더 높았습니다. 만약 배당금을 재투자했다면 결과는 어떻게 변할까요? 놀랍게도 S&P500의 수익률은 56.55퍼센트, SCHD의 수익률은 73.86퍼센트로 수익률 차이가 크게 벌어집니다. 재투자한 기간이 길어지자 배당 매력도가 큰 SCHD가 빛을 발하는 것이죠. 지금까지의 결과만 놓고 보면 SCHD가 S&P500을 모든 면에서 압도합니다. 주가 흐름도 좋고 배당 매력도 큰 SCHD의 완승이죠.

반드시 감안해야 할 중요한 사실이 하나 있습니다. 실제로 많은 투자자가 간과하는 부분입니다. S&P500과 SCHD의 주가 흐름을 나타내는 그래프를 꼭 확인하십시오. 파란색 선은 S&P500, 주황색 선은 SCHD의 주가입니다. 두 선이 거의 비슷한 형태로 움직이고 있습니다. 차이점이 있다면 SCHD(주황색 선)가 S&P500(파란색 선)보다 변동성이 작다는 겁니다. 변동성이 작다는 건 하락장에서는 장점이지만 상승장에서는 단점이기도 합니다. 2022년과 같이 깊은 하락장이 펼쳐질 때는 변동성이 작은 SCHD가 S&P500보다 강합니다. 그러나 2021년과 같은 상승장에서는 S&P500보다 상승 탄력을 덜 받기 때문에 오히려 단점이 됩니다.

앞서 SCHD가 S&P500을 모든 면에서 압도하는 것처럼 보였던 이유는 큰 하락이 발생했던 2022년 12월 직후 자료이기 때문입니다. 상승장에서 조사한 자료를 함께 분석하면 SCHD에 대한 지나친

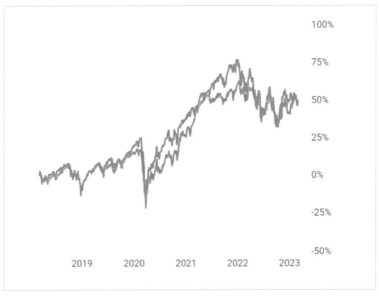

SCHD와 S&P500의 주가 흐름 비교
SCHD ——— S&P500 ———

출처: 시킹알파(2023.3)

환상에서 벗어날 수 있습니다. 1년 이상 엄청난 상승장을 거쳐온 2022년 2월 자료와 비교해보겠습니다. 5년과 10년 토탈 리턴 모두 S&P500이 SCHD를 앞섭니다. 배당을 고려하지 않고 주가 흐름만 비교하면 차이는 더 분명하게 드러납니다. 10년간 SCHD의 주가가 190.14퍼센트 상승하는 동안 S&P500의 주가는 무려 234.64퍼센트나 상승했습니다. 10년 동안 배당금을 꾸준히 재투자했다면 SCHD의 높은 배당 수익률로 인해 격차가 줄어들기는 하나 결과를 바꾸기에는 역부족이죠. 이처럼 상승장 이후 자료로 분석하면 S&P500의 압승입니다.

2022년 2월과 12월, 같은 해에 조사한 자료임에도 조사 시점이 달라지자 수익률 결과가 완전히 달라졌습니다. 오랜 시간 투자하면 자연스럽게 상승장과 하락장을 모두 경험하게 됩니다. 앞으로도 상승장에서는 S&P500이, 하락장에서는 SCHD가 더 좋은 면모를 보여줄 가능성이 높습니다. 따라서 2개의 ETF 중 어느 것이 수익률이 더 높다고 단정 지어 말할 수 없습니다. 그러나 배당 수익은

2022년 2월 SCHD와 S&P500의 성과 비교

Returns

	1Y	3Y	5Y	10Y
Price Return	+19.51%	+56.39%	+80.93%	+190.14%
S&P 500	+16.24%	+65.16%	+95.89%	+234.64%
Total Return	+23.16%	+72.82%	+111.65%	+291.43%
S&P 500 Total Return	+17.89%	+73.99%	+114.71%	+308.24%

- Price Return: SCHD(프라이스 리턴)
- S&P500: S&P500(프라이스 리턴)
- Total Return: SCHD(토탈 리턴)
- S&P500 Total Return: S&P500(토탈 리턴)

출처: 시킹알파 (2022.2)

SCHD와 S&P500 성과 비교
(2022년 2월, 2022년 12월 조사 결과)

	토탈 리턴 (주가 상승+배당 재투자)	SCHD	S&P500	결론
2022년 2월 (하락장 이후)	5년	73.86%	56.55%	하락장 직후 SCHD 수익률 우세
	10년	259.06%	226.14%	
2022년 12월 (상승장 이후)	5년	111.65%	114.71%	상승장 직후 S&P500 수익률 우세
	10년	291.43%	308.24%	

S&P500보다 SCHD가 확실히 더 매력적입니다. 안정적인 배당연금 파이프라인을 꿈꾸는 제가 S&P500 대신 SCHD를 선택한 이유입니다.

SCHD의 배당금이 계속 성장할 수 있는 이유

2020년부터 2022년까지 주가 흐름을 분석해보는 일은 상당히 의미가 있습니다. 3년이라는 짧은 기간 동안 강한 하락과 강한 상승 그리고 또 한 번의 강한 하락이 연속적으로 발생했기 때문이죠. 지난 3년은 SCHD의 주가가 상승장과 하락장에서 어떻게 움직이는지 확인해볼 수 있는 좋은 기회였습니다. 다음 그래프와 같이 S&P500(주황색 선)과 SCHD(파란색 선)의 주가는 비슷하게 움직

S&P500과 SCHD의 2020~2022년 주가 흐름 비교
S&P500 ——— SCHD ———

출처: 트레이딩뷰(2023.3)

일 수밖에 없습니다. 그 이유를 함께 확인해보겠습니다. ETF 비교
사이트 etfrc.com(QR코드)에 접속한 후 'Fund Overlap' 탭을 누르면
S&P500과 SCHD의 종목이 얼마나 중복되는지 쉽게 확인할 수 있
습니다.

etfrc.com
(Fund Overlap 탭 클릭)

SCHD와 SPY(S&P500)의 보유 종목 중복 확인

출처: ETF 리서치 센터(2023.3)

2023년 3월 기준, SCHD를 구성하는 종목 100개 중 55개의 종목이 S&P500에 속한 기업입니다. 이 자료를 보고 SCHD의 절반 정도가 S&P500이라고 생각해서는 안 됩니다. 겹치는 종목 55개가 SCHD의 포트폴리오를 구성하는 비중은 90퍼센트 이상이기 때문이죠. SCHD의 주가를 움직이는 힘은 S&P500에 속한 기업이 쥐고 있다고 생각하면 됩니다. 따라서 SCHD와 S&P500의 주가는 기본적으로 비슷하게 움직입니다. 하지만 둘 사이에는 분명한 차이가 존재합니다. 상승장에서는 S&P500이 앞서나가지만 하락장이 찾아오면 SCHD가 더 좋은 방어력을 보여주기 시작합니다. SCHD의 종목 선정 알고리즘을 분석해보면 그 이유도 파악할 수 있습니다. SCHD는 다우 존스 미국 배당 100Dow Jones US Dividend 100이라는 지수를 추종합니다. 쉽게 말해 다우 존스 미국 배당 100이 만들어지는 과정이 곧 SCHD의 종목 선정 알고리즘인 셈입니다. 조금 더 깊이 있는 투자를 원한다면 SCHD가 추종하고 있는 지수와 종목 선정 알고리즘 정도는 기억해두는 것이 좋습니다.

지금부터는 SCHD를 구성하는 100개 종목이 어떤 과정을 거쳐 포트폴리오에 편입되는지를 3단계로 나눠 상세히 살펴보겠습니다.

• 1단계

먼저 미국에 상장한 상위 기업 2500여 개 중에서 리츠(부동산) 기업을 제외합니다. 시가총액 5억 달러 미만인 기업과 3개월 평균 거래량이 200만 달러 미만인 기업도 제외합니다. 너무 작은 기업과 거래가 불안정할 수 있는 기업을 걸러 안정성을 높이는 단계입니다. 참고로 S&P500에 포함된 기업은 시가총액이 최소 5조 원(환율 1200원 기준) 이상인 기업입니다. 반면 SCHD에 편입될 수 있는 시가총액 기준은 6000억 원(환율 1200원 기준) 정도입니다. 따라서 S&P500에 비해 규모가 작은 기업으로 구성될 수 밖에 없죠. 꼭 기억해야 하는 특징 중 하나는 리츠 섹터가 포함되지 않는다는 점입니다. 만약 11개 섹터에 골고루 투자하고 싶다면 리츠 기업에 따로 투자해야 합니다.

• 2단계

배당 수익률이 높은 순서대로 상위 50퍼센트만 선별합니다. 배당 수익이 적은 기업 절반을 걸러내는 작업이죠. 단, 순위를 매길 때 특별배당은 반영하지 않는 점이 특징입니다. 일시적으로 높은 배당금을 지급한 기업은 인정하지 않겠다는 단호한 의지죠.

SCHD는 이 단계를 거치면 S&P500과는 조금 다른 특성을 갖추게 됩니다. 배당 수익률이 낮은 미국의 대표 빅테크 기업이 대거 탈락하기 때문이죠. 다시 말해 S&P500의 20퍼센트 비중을 차지하는 애플, 마이크로소프트, 아마존, 알파벳, 테슬라, 엔비디아, 메타는 SCHD의 포트폴리오에 편입될 수 없습니다. 미국 빅테크 기업은 상승장에서 S&P500의 주가를 이끄는 기업입니다. 동시에 배당 매력을 떨어뜨리는 종목이기도 하죠. SCHD는 배당 매력을 중시하기 때문에 이런 기업은 과감히 제외합니다.

저는 S&P500과 SCHD의 가장 큰 차이가 빅테크 기업 포함 여부라고 생각합니다. SCHD가 빅테크 기업을 포함하고 있지 않아 아쉽다면 따로 모아가는 것도 좋은 전략입니다. 그 전략은 4장에서 구체적으로 다루겠습니다.

• 3단계

마지막 단계에서는 보다 엄격한 기준이 적용됩니다. 지금까지 살아남은 각각의 종목에 점수를 매겨 상위 100개의 기업을 선별하는 과정입니다. 채점 항목은 총 4가지입니다. 100점 만점에 배당 수익률 25점, 5년 배당 성장률 25점, 부채 대비 현금흐름 25점, 자기 자본 이익률 25점으로 평가합니다. 의미 있는 수준의 배당금을 지급하고 있는 동시에 지난 5년간 꾸준히 배당금을 늘려왔어야만 100개 기업에 포함될 수 있습니다. 배당연금을 만드는 2개의 축인 배당 수익률과 배당 성장률이 고르게 조화를 이뤄야 한다는 뜻이죠. 또한 부채 대비 현금흐름과 자기 자본 이익률로 평가한다는 건 곧 재무 건전성과 수익성을 모두 갖춘 우수한 기업만이 SCHD의 포트폴리오에 이름을 올릴 수 있다는 의미입니다.

이렇게 까다로운 과정들을 거쳐 가장 우수한 기업 100개가 선정됩니다. 이때 시가총액에 가중치를 둬 포트폴리오에 담지만 하나의 종목이 4퍼센트를 초과할 수는 없습니다. 또한 특정 섹터가 25퍼센트를 넘어설 수도 없죠. 이것은 특정 종목과 섹터에 의해 주가 흐름이 쉽게 결정되는 일을 막기 위해서입니다. 즉, 안정성과 균형을 중요시한다는 뜻입니다. 지금까지 SCHD를 구성하는 100개의 종목이 어떤 알고리즘을 통해 선정되는지 알아보았습니다. 종목 선정 알고리즘을 제대로 이해하면 앞으로 SCHD가 어떤 모습을 보여줄지 합리적으로 예측할 수 있습니다.

과거 사례를 분석해 미래 수익률을 정확히 예측하는 것은 사실상 불가능합니다. SCHD가 배당 수익률 3퍼센트 이상, 배당 성장률 12퍼센트 이상의 좋은 성과를 앞으로도 꾸준히 유지할 수 있을지 없을지는 미지수입니다. 하지만 SCHD의 알고리즘은 미국 주식시장에서 배당 매력도가 가장 큰 종목 100개를 꾸준히 선별할 겁니다. 향후 수익률이 전반적으로 저조해지는 시기가 찾아오더라도 그중에서도 배당 매력을 갖춘 최선의 종목으로 포트폴리오가 구성되는 것이죠. S&P500의 배당 수익률이 2퍼센트 미만인 저배당 구간에서도 SCHD는 배당에 특화된 알고리즘을 활용해 3퍼센트대의 배당 수익률을 만들어냈습니다. SCHD의 배당 매력을 절대적 기준이 아닌 상대적 기준으로 바라본다면 매 순간 만족을 느끼며 배당연금 파이프라인을 만들어갈 수 있습니다.

SCHD 1주 적립의 위력

티끌 모아 태산이라는 표현을 좋아하는 투자자는 찾기 어렵습니다. 티끌로 태산을 만들려면 상당히 많은 시간이 필요하기 때문이죠. 더 빨리 더 큰 수익을 내고 싶은 게 모든 투자자의 마음입니다. 빠르게 이루려는 마음이 커질수록 리스크도 함께 커지기 마련입니다. 리스크가 커지면 자연스레 성공 가능성은 낮아지게 되죠. 따라서 빨리 태산을 이루고자 노력한 사람 중 성공적으로 태산을 이룬 투자자는 극소수에 불과합니다. 결과적으로는 티끌을 모아 태산을 만들어가는 사람보다 성공이 늦어지는 경우가 대부분이죠. 배당연금 투자는 티끌을 모아 태산을 만들어가는 투자법입니다. 배당연금 파이프라인은 단숨에 만들어지지 않습니다. 조금씩 조금씩 파이프라인을 늘려가는 인내의 과정이 필요합니다. 처음에는 티끌과 같은 배당연금이 흐릅니다. 그러나 시간과 노력이 더해져 파이프라인이 조금씩 길어질수록 배당연금이 흘러들어 오는 속도는 점점 빨라지죠. 티끌이 모래가 되고 모래가 자갈이 됩니다. 그리고 시간이 흘러 자갈은 바위가 되죠.

배당 성장에는 복리의 법칙이 적용됩니다. 처음 몇 년은 지겨울 정도로 더디게 성장하다 시간이 흐를수록 성장 속도에 가속이 붙습니다. 투자자는 티끌이 모래가 되는 처음 몇 년을 버티지 못하고 대부분 떠나갑니다. 너무 느리다고 생각하기 때문이죠. 물론 큰 자금을 투자하면 처음부터 큰 배당 수익을 누릴 수 있습니다. 하지만 저와 같이 평범한 사람은 티끌로 시작한다는 현실을 긍정적으로 받아들이는 마음가짐이 중요합니다. 대부분의 투자자는 배당연금이 커지기까지 시간이 너무 오래 걸린다는 것을 단점으로 지적합니다. 관점을 바꿔 시간을 '활용한다'로 바라보십시오. 단기간의 수익을 원한다면 투자 기간을 단축하는 것이 최선이겠죠. 하지만 시간을 활용하는 관점에서는 투자 기간을 늘리는 게 더 좋습니다. 시간을 단축하면서 성공 가능성을 낮춰가는 것이 아니라 시간을 충분히 활용해서 확실한 성공을 일궈내야 합니다. 빨리 이루려는 욕심이 과하면 오히려 목표와 멀어질 수 있다는 점을 염두에 두기 바랍니다. SCHD를 꾸준히 모아가면서 시간의 힘을 최대한 활용한다면 별다른 스킬이 없어도 누구나 배당연금 파이프라인을 만들 수 있습니다. 다시 한번 강조하지만 그러기 위해서는 시작 구간을 버텨야 합니다.

지금부터는 SCHD 1주 적립의 위력을 이야기해보겠습니다. 2023년 3월 기준, SCHD 1주를 보유하려면 한화로 9만 5000원이 필요합니다. 배당 수익률이 3.52퍼센트이므로 1주를 보유하면 연 3344원의 배당금을 받습니다. 하지만 실제로 계좌에 입금되는 금액은 배당 소득세 15퍼센트를 뺀 2842원(세후 배당률 2.99퍼센트)입니다. 2842원을 3, 6, 9, 12월에 나눠 받게 되니 분기마다 710원 정도의 배당금을 받게 되는 것이죠.

약 9만 5000원으로 1주를 매수해서 분기당 700원 정도의 배당금을 받는다고 하면 실망하는 분이 많습니다. 하지만 저는 SCHD 1주를 매수하면서 연 2842원의 배당금을 만들었다고 생각하지 않습니다. 기대하는 배당연금은 최소 15만 원 이상입니다. 투자한 9만 5000원보다 훨씬 큰 금액이죠. 매수한 금액보다 큰 배당 수익을 기대하는 이유는 20년 이상 보유할 마음으로 접근하기 때문입니다. 배당 수익은 매도하지 않고 만들어내는 수익이니 SCHD 1주는 그대로 보존됩니다. 20년이 흐른 후, SCHD 1주의 가치는 어떻게 변할까요? 장기적인 관점에서 바라보면 SCHD 1주는 지금보다 높은 가격에 거래되고 있을 가능성이 높습니다. 주가는 주가대로 오르면서 매수 가격 이상의 배당연금을 만들어내는 것이죠.

우리가 조금 더 관심을 가지고 생각해 봐야 할 부분이 있습니다. 연 2842원의 배당연금을 20년 동안 꾸준히 받으면 2842에 20을 곱한 5만 6840원의 배당연금을 기대해야 합니다. 하지만 저는 그보다 훨씬 큰 15만 원이 넘는 배당연금을 기대한다고 했습니다. 연 배당금 2842원의 50배가 넘는 금액이죠. 20년을 투자하면서 연 배당금의 20배가 아닌 50배 이상을 기대하는 이유는 바로 배당 성장 때문입니다. SCHD의 배당 성장률을 연평균 10퍼센트로 가정할 경우, 20년 동안 첫해에 받은 연 배당금의 57.2배에 해당하는 배당금을 받게 됩니다. 연 10퍼센트의 배당 성장에 시간의 힘이 더해지면 이처럼 놀라운 일이 벌어집니다. 복리의 마법은 배당 수익에도 똑같이 적용되기 때문이죠.

30년을 보유하면 복리의 마법은 더욱 강력한 힘을 발휘합니다. 배당 성장이 일어나지 않으면 연 배당금 2842원에 30을 곱한 8만 5260원이 SCHD 1주 보유로 얻게 될 총 배당금입니다. 하지만 연

보유 기간에 따른 배당연금

보유 기간	총 배당금	복리의 마법
1년	약 2800원	1배 → 1배
10년	약 4만 4500원	10배 → 15.9배
20년	약 16만	20배 → 57.2배
30년	약 46만	30배 → 164.5배

10퍼센트의 배당 성장이 일어나면 30년 동안 받게 될 배당연금은 총 45만 원을 넘어서게 됩니다. 첫해에 받은 연 배당금의 164.5배에 해당하는 금액입니다. 보유 기간이 늘어날수록 복리의 마법으로 SCHD 1주 적립의 가치는 눈덩이처럼 불어납니다.

10년 이상 배당연금 파이프라인을 만들어갈 계획이라면 배당 수익률이 크면서 배당 성장률이 낮은 종목보다 배당 수익률은 조금 낮더라도 배당 성장이 꾸준히 이뤄질 만한 종목에 투자하는 게 장기적으로는 더 유리합니다. SCHD 1주의 가치를 평가할 때 지금 당장 눈앞에 보이는 것만 생각해서는 안 됩니다. SCHD가 만들어내는 배당연금은 보유하는 기간에 따라 티끌일 수도 있고 그 이상일 수도 있습니다. 투자자가 어떤 관점으로 바라보느냐에 따라 그 가치는 천지차이입니다.

배당 수익률과 보유 수량이 배당연금 투자의 성공을 결정짓는 핵심 요소라고 생각하는 투자자가 많습니다. 제가 생각하는 핵심 요소는 보유 기간입니다. 보유는 매수와 매도보다 어렵습니다. 끈기 있게 오랫동안 쥐고 있으면서 배당연금이 커질 수 있는 시간을 충분히 활용하는 일이 수량을 늘리는 것보다 더 어렵죠. SCHD 1주의 가치는 보유 기간이 길어질수록 커집니다. 배당연금 파이프라인을 만들기 위해 우리가 해야 할 일은 사실 꽤 간단합니다.

① SCHD 1주 적립이 갖는 가치를 이해하고 매수한다.
② 오랫동안 보유한다.

성공에 대한 강한 확신이 있으면 오래 보유할 수 있습니다. 시간의 힘을 믿고 오랫동안 끈기 있게 보유하십시오.

한국판 SCHD와 연금계좌의 시너지

많은 사람이 커피를 즐겨 찾게 되자 여기저기에 수많은 카페가 생겼습니다. 경쟁이 치열하다는 사실을 알면서도 워낙 찾는 사람이 많으니 새로운 카페가 계속해서 생겼죠. 각 카페는 살아남기 위해 같은 메뉴를 더 저렴한 가격에 팔기도 하고, 쿠폰과 이벤트를 활용하기도 하면서 고객의 이탈을 어떻게든 막으려 노력합니다. 자산운용사가 ETF 상품을 운용할 때도 이와 비슷한 일이 벌어집니다.

　미국 주식시장을 대표하는 지수 중 하나인 S&P500은 유행을 타지 않는 안정적인 매력으로 많은 투자자에게 꾸준한 사랑을 받고 있습니다. S&P500을 추종하는 ETF 상품이 전 세계적으로 다양하게 존재하는 이유입니다. 미국에 상장한 S&P500 추종 ETF는 SPY, VOO, IVV, SPLG가 있습니다. 국내에 상장한 S&P500 ETF만 해도 이미 10개가 넘습니다. 모두 같은 지수를 추종하지만 각 ETF의 운용 규모, 수수료, 배당 주기와 같은 조건에 따라 투자자의 선택이 달라집니다.

　SCHD가 추종하고 있는 지수는 다우 존스 미국 배당 100입니다. 까다로운 3단계를 거쳐 배당 성장 가능성이 높은 종목 100개를 엄선해내는 대단한 알고리즘이죠. 2021년 9월까지만 해도 이 지수를 추종하는 상품은 SCHD 단 하나였습니다. 하지만 SCHD가 많은 투자자의 주목을 받으면서 추가로 생겨나기 시작했습니다. 모두 국내 상품으로, 쉽게 말하면 한국판 SCHD라 할 수 있죠. SCHD와 한국판 SCHD를 다음 표로 간략히 정리했습니다.

　배당 성장 ETF인 SCHD의 인기가 날이 갈수록 커지자 2021년 10월 한국투자신탁운용에서 한국판 SCHD인 ACE 미국 고배당 S&P를 출시했습니다. 1년이 지난 2022년 11월, 신한자산운용에서도 SOL 미국 배당 다우 존스를 내놓았습니다. 이 상품의 인기에 힘

SCHD와 한국판 SCHD 비교 분석
(2023년 3월 기준)

	SCHD	ACE 미국 고배당 S&P	SOL 미국 배당 다우 존스
	미국 상장	국내 상장(한국판 SCHD)	
상장일	2011년 10월 20일	2021년 10월 21일	2022년 11월 15일
운용 규모	454억 달러(60조 원)	683억 원	785억 원
분배금 지급	3, 6, 9, 12월 말 (분기 배당)	2, 5, 8, 11월 초 (분기 배당)	매월 초 (월 배당)
총보수	0.06%	0.5% → 0.06%	0.15% → 0.05%
연금계좌	X	O	O

입어 2023년 3월에는 환헤지 상품(환율 영향을 받지 않는 상품)인 SOL 미국 배당 다우 존스(H)까지 출시했습니다. 같은 지수를 추종하는 다양한 상품의 출시는 투자자에게 상당히 반가운 소식입니다. 투자자의 선택을 받기 위해 저가 수수료 경쟁이 치열해지기 때문이죠. 수수료 외에도 투자자의 시선을 사로잡을 만한 조건이 새롭게 등장할 가능성이 열린 겁니다.

첫 번째 한국판 SCHD인 ACE 미국 고배당 S&P의 총보수는 0.5퍼센트였습니다. SCHD의 총보수 0.06퍼센트와 비교하면 수수료가 지나치게 높죠. 그렇다면 수수료가 저렴한 상품에 투자하는 것이 더 좋습니다. 게다가 SCHD의 운용 규모가 ACE 미국 고배당보다 1000배가량 크기 때문에 운용 안정성 면에서도 SCHD의 완승입니다. 애초에 경쟁이 되지 않는 상품이죠. 하지만 출시한 데에는 다 이유가 있습니다. SCHD로는 할 수 없지만 ACE 미국 고배당으로는 할 수 있는 것이 있습니다. 바로 연금계좌 활용입니다. 연금계좌를 활용하면 세액공제 혜택을 받을 수 있습니다. 따라서 연금계좌로 ETF 상품을 매수하고 싶어 하는 투자자가 많습니다.

단, 연금계좌에서는 국내 상장 ETF만 매수할 수 있습니다. 같은 지수를 추종하더라도 미국에 상장된 SCHD는 매수할 수 없으며, 국내에 상장한 ACE 미국 고배당은 매수할 수 있는 겁니다. 세제 혜택을 받기 위해서는 ACE 미국 고배당을 선택해야만 하죠. ACE 미국 고배당은 SCHD를 성과로 이기기 위해 출시된 상품이 아닙니다. 연금계좌를 활용해 세제 혜택을 받고 싶어 하는 투자자의 마음을 제대로 이용한 상품이죠. 16.5퍼센트의 세액공제 혜택(총 급여 5500만 원 초과 시 13.2퍼센트)을 원하는 투자자는 수수료가 0.44퍼센트나 높아도 SCHD 대신 ACE 미국 고배당을 선택할 테니 자산운용사 입장에서는 굳이 수수료를 낮출 이유가 없습니다. 하지만 1년 후, 상황은 완전히 바뀌었습니다.

신한자산운용이 총보수 0.15퍼센트인 SOL 미국 배당 다우 존스를 출시했기 때문입니다. ACE 미국 고배당보다 수수료를 0.35퍼센트나 낮춘 상품이죠. 게다가 투자자의 요구를 반영해서 분기 배당이 아닌 월 배당 상품으로 출시했습니다. 경쟁에서 이기기 위해 더 매력적인 조건을 제시한 겁니다. 그동안 SCHD에 비해 수수료가 턱없이 높아도 ACE 미국 고배당을 선택했던 건 세제 혜택을 받을 수 있는 다른 대안이 없었기 때문입니다. 하지만 SOL 미국 배당 다우 존스가 출시되면서 경쟁이 시작됐습니다. 경쟁이 시작되자마자 1년 넘게 꿈쩍도 안 했던 ACE 미국 고배당의 총보수는 0.06퍼센트까지 인하됐습니다. 단번에 SCHD와 비슷한 수준까지 낮아졌죠. 이에 질세라 SOL 미국 배당 다우 존스도 총보수를 0.05퍼센트까지 낮췄습니다.

ACE 미국 고배당의 경쟁상품은 SCHD가 아닙니다. 일반 계좌는 SCHD, 연금계좌는 ACE 미국 고배당으로 영역이 완전히 분리됐기 때문이죠. 하지만 SOL 미국 배당 다우 존스가 등장하면서 연금계좌 영역을 지키기 위한 경쟁이 본격화됐습니다. 투자자는 더 나은 조건의 상품을 선택하기만 하면 됩니다. 현명한 투자자가 많아질수록 자산운용사는 투자자에게 유리한 조건을 제시할 겁니다. 우리가 끊임없이 공부해야 하는 이유 중 하나입니다.

연금계좌 투자자를 끌어오기 위한 경쟁에서 이기기 위해 ACE 미국 고배당과 SOL 미국 배당 다우 존스는 SCHD와 비슷한 수준까지 총보수를 낮췄습니다. 총보수가 SCHD와 비슷해지자 일반 계좌에서도 한국판 SCHD에 투자할지 고민하는 투자자가 늘었습니다.

여기서 주의해야 할 점이 하나 있습니다. 자산운용사는 ETF 상품을 홍보할 때 총보수를 강조합니다. 하지만 총보수 말고도 알게 모르게 추가되는 비용이 있습니다. 기타 비용과 매매·중개 수수료까지 더하면 배보다 배꼽이 더 큰 상황이 자주 발생하곤 합니다. 따라서 총보수가 SCHD와 비슷한 수준이라고 해서 경쟁력을 갖추었다고 단정하기 어렵습니다. 일반 계좌에서만큼은 SCHD와 한국판 SCHD는 절대 비교 대상이 될 수 없습니다. 따라서 저는 일반 계좌에 SCHD를 모아가며 배당연금 파이프라인을 만들어가고 있습니다. 더불어 세제 혜택과 노후 준비를 위해 연금계좌도 활용하고 있습니다.

연금계좌에는 국내 상장 S&P500이나 나스닥100 ETF를 모아가는 투자자도 많습니다. 종목 선택에는 정답이 없습니다. 개인의 성향과 상황에 따라 좋은 선택의 기준은 얼마든지 달라질 수 있죠. 다만 저는 배당금을 받으며 즐겁게 투자하고 싶어 연금계좌에서도 배당 성장 ETF를 모아가고 있습니다. SCHD는 분기 배당 상품이라 연금계좌에서는 배당받는 기쁨을 더 자주 누릴 수 있도록 월 배당 상품인 SOL 미국 배당 다우 존스를 모아가는 중입니다.

2022년에 연금저축 연간 세액공제 한도인 400만 원을 SOL 미국 배당 다우 존스에 투자했더니 연금계좌에서도 매월 1만 원 이상의 배당연금이 만들어지기 시작했습니다. 2023년부터는 연금저축 세액공제 한도가 연 600만 원으로 늘어납니다. 따라서 2023년부터는 늘어난 한도에 맞춰 연 600만 원씩 연금저축계좌에 SOL 미국 배당 다우 존스를 꾸준히 모아갈 계획입니다. 배당 수익률 3퍼센트를 가정하면 연 18만 원의 배당금을 받게 됩니다. 월 1만 5000원에 해당하죠. 배당 성장 없이 20년을 모아도 월 30만 원(1만 5000원 ×20년) 가까운 현금흐름을 만들 수 있습니다. 만약 20년간 연 10퍼센트씩 배당 성장이 이뤄진다면, 배당금을 재투자하지 않고도 월 76만 원에서 85만 원 사이의 배당금을 받게 될 겁니다.

배당 수익률 3퍼센트, 배당 성장률 10퍼센트를 가정한다면, 매년 초 600만 원을 투자할 경우 20년 동안 받게 될 총 배당금은 대략 7740만 원입니다. 세액공제 혜택만 합해도 최소 1584만 원입니다. 총 투자금이 1억 2000만 원인데 20년간 받는 총 배당금과 세액공제 혜택만 합쳐도 1억 원에 가깝죠. 매년 말 600만 원을 몰아서 투자한다면 연초에 투자했을 때보다는 배당금이 조금 줄어듭니다. 월 50만 원씩 꾸준히 적립식으로 투자하면 연초에 투자한 경우와 연말에 투자한 경우의 중간 정도 되는 배당연금을 받을 수 있습니다.

연금저축계좌를 활용하면 엄청난 세제 혜택이 주어집니다. 다만 그냥 주어지지는 않습니다. 개인이 스스로 노후를 준비하도록 장려

투자 방법에 따른 20년 후 월·연·총 배당금

투자 방법	20년 후 월 배당금	20년 후 연 배당금	20년간 받게 될 총 배당금
연초에 600만 원 투자	약 85만 원	약 1030만 원	약 7740만 원
연말에 600만 원 투자	약 76만 원	약 920만 원	약 6709만 원
월 50만 원씩 적립식 투자	약 76~85만 원		

연 600만 원씩 20년간 총 1억 2000만 원 투자했을 경우
→ 16.5% 세제 혜택받을 경우, 1980만 원 환급
→ 13.2% 세제 혜택받을 경우, 1584만 원 환급

하기 위해 주는 세제 혜택이기 때문이죠. 세제 혜택은 동기유발 수단일 뿐, 목적은 노후 준비에 있다는 걸 잊지 말아야 합니다. 연금계좌에 들어가 세제 혜택을 받은 돈은 만 55세가 될 때까지 묶입니다. 쉽게 말해 세제 혜택을 받는 대신 노후 준비로 쓰겠다는 일종의 약속인 셈이죠. 만약 약속을 어기고 중도에 출금하면 세제 혜택 그 이상을 토해내야 합니다.

연금계좌에서 만들어진 배당금도 마찬가지입니다. 만 55세 이후의 연금 수령 시기까지 출금하지 않는 경우에는 유리합니다. 하지만 그전에 출금하면 오히려 불리합니다. 왜일까요? 일반 계좌에서 받는 배당금은 배당 소득세가 자동으로 차감된 상태에서 입금

됩니다. 하지만 연금계좌에서 받는 배당금은 배당 소득세가 차감되지 않은 상태에서 입금되죠. 그렇다고 해서 세금이 완전히 안 붙는 건 아닙니다. 연금계좌에 있는 돈을 만 55세 이후에 연금으로 받을 때 3.3~5.5퍼센트의 세금을 내게 됩니다. 이처럼 세금 납부의 시기를 뒤로 미뤄주는 것을 과세이연이라고 합니다. 세금 납부가 뒤로 미뤄지면 그동안 투자금을 조금이라도 더 굴릴 수 있습니다. 또한 배당 소득세는 15.4퍼센트지만 연금 소득세는 최대 5.5퍼센트이니 연금 수령 시기까지 끌고 갈 수만 있다면 연금계좌를 활용하는 것이 배당 측면에서도 유리합니다. 하지만 연금 수령 시기 이전에 배당금을 출금하면 기타 소득세 16.5퍼센트가 붙습니다. 배당 소득세 15.4퍼센트보다 더 많은 세금을 내게 되죠. 따라서 연금 수령 전까지 꾸준히 배당금을 재투자하는 것이 연금계좌를 최대한 효율적으로 운용하는 방법입니다.

중도 인출은 불이익으로 이어지므로 저는 연금계좌를 오로지 노후 준비를 위한 목적으로만 활용할 생각입니다. 연금계좌를 활용해서 배당연금 파이프라인을 만들려면 신경 써야 할 것과 제약이 많습니다. 배당연금 파이프라인은 일반 계좌에서 SCHD를 모아가는 것만으로 충분합니다. 오해가 없도록 다시 한번 강조합니다. 노후 준비를 위한 연금계좌에서는 S&P500이나 나스닥100 ETF를 모아가도 좋습니다. 연금계좌를 활용할 때 중요한 건 종목이 아닙니다.

연금 수령 시기까지 중도 해지하지 않고 끝까지 보유하는 겁니다.

제가 연금계좌에서 SOL 미국 배당 다우 존스를 모아가는 이유는 S&P500이나 나스닥100보다 더 좋은 성과를 기대해서가 아닙니다. 매월 배당을 받는 기쁨을 느끼면서 지치지 않고 노후 준비를 하기 위해서입니다. 연금계좌에 담을 종목은 각자의 성향에 맞게 오래 보유할 수 있는 종목을 선택하면 됩니다. 종종 연금계좌가 필수인 것처럼 소개되면서 무턱대고 만드는 투자자가 있습니다. 세액공제 혜택을 받을 수 있는 대신, 자금이 오랫동안 묶여 있어야 한다는 사실을 잊어서는 안 됩니다.

배당연금 파이프라인을 만들 때는 출금과 종목 선택에 제약이 있는 연금계좌보다 일반 계좌가 더 적합합니다. 일반 계좌에서 만들어진 배당연금은 배당 소득세 15퍼센트가 차감된 상태에서 입금된 것이므로 출금이 자유롭습니다. 하지만 연금계좌는 조금 번거로운 과정을 거쳐야 합니다. 만약 세액공제 혜택을 받았다면 증권사에 방문하거나 유선 통화를 통해 16.5퍼센트의 기타 소득세를 차감한다는 내용에 동의해야 출금이 가능합니다. 다시 말해 계좌에 담겨 있던 배당연금 100만 원을 출금하면 83만 5000원이 입금된다는 얘기죠. 투자를 통해 좋은 성과를 내는 것도 중요하지만 장기적인 관점에서는 스트레스 없이 투자하는 것이 중요합니다.

03

SCHD 기본 투자 전략

SCHD에 1억 원을 거치식으로 투자하면?

매수방식에 따라 투자법은 거치식 투자와 적립식 투자 두 종류로 나뉩니다. 목돈을 한꺼번에 투입해서 처음부터 많은 수량으로 시작하는 투자를 거치식 투자라고 합니다. 처음부터 많은 배당연금을 손에 쥘 수 있다는 장점이 있습니다. 단점도 있습니다. 거치식으로 초기 수량을 크게 늘린 후 큰 하락장을 맞으면 큰 손실로 이어질 가능성이 있습니다. 물론 거치식 투자의 전제는 목돈입니다. 그래서 현실적으론 하고 싶어도 못 하는 경우가 더 많죠. 목돈이 있어야만 투자를 시작할 수 있는 건 아닙니다. 적립식 투자가 있기 때문이죠.

일정한 주기마다 가능한 범위 내에서 수량을 꾸준히 늘려가는 방법을 적립식 투자라고 합니다. 월급을 받는 대다수 직장인이 선택하는 투자법입니다. 거치식 투자와 달리 초기 수량이 많지 않기 때문에 처음부터 큰 배당연금을 기대하기는 어렵지만, 차츰 늘어가는 배당연금을 확인하는 것도 하나의 재미입니다. 분할로 꾸준히 모아갈 수 있기에 주가가 하락하더라도 큰 손실로 이어지지 않는 장점이 있습니다. 2가지 투자법 중 어느 것이 더 나을지는 자신의 상황과 성향을 고려해 택하면 되겠습니다.

먼저 SCHD에 1억 원을 거치식 투자하는 상황부터 살펴보겠습니다. 2023년 1월 SCHD의 배당 수익률은 3.3퍼센트, 지난 5년간 배당 성장률은 연평균 13.74퍼센트입니다. 1억 원을 거치식으로 투자할 경우, 3.3퍼센트에 해당하는 330만 원의 배당금을 받게 됩니다. 15퍼센트의 배당 소득세를 공제하면 연 280만 원, 분기마다 70만 원 정도입니다. 분기 배당이지만 직관적인 이해를 위해 월 기준으로 환산하겠습니다. 그럼 월 23만 원 정도에 해당합니다. 배당

SCHD의 배당 정보 요약

Dividend Summary				
Div Yield (TTM)	Annual Payout (TTM)	Payout Ratio	5 Year Growth Rate	Dividend Growth
3.30%	$2.56	-	13.74%	10 Years

출처: 시킹알파(2023.1)

40세부터 SCHD에 거치식 투자를 할 경우
(투자금 1억 원, 배당 수익률 3.3%, 배당 성장률 13.74% 가정)

40세	45세	50세	55세	60세	65세	70세
월 23만 원	월 44만 원	월 83만 원	월 158만 원	월 300만 원	월 570만 원	월 1082만 원

성장률이 연평균 13.74퍼센트인 경우, 5년마다 1.9배씩 배당금이 성장하죠. 1억 원을 투자해서 40세에 월 23만 원의 배당연금을 받는다면 5년 후인 45세에는 월 23만 원의 1.9배인 월 44만 원 정도를 받게 됩니다.

배당금도 복리로 커지기 때문에 시간이 흐를수록 배당연금 규모가 급격히 증가합니다. 만약 배당금을 재투자하면 배당연금이 커지는 속도는 더 빨라집니다. 이쯤에서 나중에 실망하는 일이 생기지 않도록 조금 더 보수적으로 접근하겠습니다. 10년이 넘는 SCHD의 과거 배당 정보를 모두 확인해보겠습니다. 2013년부터 2023년까지 평균 배당 수익률을 확인해보면 2.57~3.35퍼센트 사이이며, 일반적으로 3퍼센트 근처입니다. 지난 5년간 SCHD의 배당 성장률은 연평균 13.74퍼센트입니다. 기간을 상장 후인 전체 기간으로 변경하면 연평균 12.2퍼센트입니다. 평균가를 바탕으로 SCHD의 배당 수익률을 3퍼센트, 배당 성장률을 12퍼센트로 가정해 계산해보겠습니다. 40세에 1억 원을 거치식으로 투자하면 연 300만 원의 배

SCHD의 연도별 배당 수익률

Dividend Yield History   Download to Spreadsheet

Year	Year End Yield	Average Yield	Max Yield	Min Yield
2023	-	3.35%	3.44%	3.28%
2022	3.39%	3.15%	3.73%	2.74%
2021	2.78%	2.87%	3.21%	2.69%
2020	3.16%	3.34%	4.37%	2.90%
2019	2.98%	2.91%	3.11%	2.74%
2018	3.06%	2.66%	3.25%	2.47%
2017	2.63%	2.85%	3.00%	2.62%
2016	2.89%	2.85%	3.22%	2.54%
2015	2.97%	2.82%	3.28%	2.56%
2014	2.63%	2.57%	2.73%	2.45%
2013	2.47%	2.63%	2.81%	2.47%

출처: 시킹알파(2023.3)

SCHD의 배당 성장 역사

Dividend Growth History   Download to Spreadsheet

Year	Payout Amount	Year End Yield	Annual Payout Growth (YoY)	CAGR to 2022
2022	$2.5615	3.39%	13.90%	-
2021	$2.2490	2.88%	10.88%	13.90%
2020	$2.0284	3.37%	17.64%	12.38%
2019	$1.7242	3.30%	19.79%	14.11%
2018	$1.4393	3.51%	6.96%	15.50%
2017	$1.3457	3.13%	6.97%	17.74%
2016	$1.2580	3.50%	9.72%	12.98%
2015	$1.1466	3.71%	9.52%	12.17%
2014	$1.0469	3.38%	15.83%	11.83%
2013	$0.9038	3.26%	11.98%	12.27%
2012	$0.8070	3.88%	585.57%	12.20%
2011	$0.1217	0.65%		

출처: 시킹알파(2023)

당연금을 받게 됩니다. 배당 소득세 15퍼센트를 제외하면 연 255만 원이죠. 월 기준으로 환산할 경우, 월 21만 2500원의 배당연금을 받게 됩니다. 만약 배당 성장률이 연평균 12퍼센트라면 6년마다 배당연금이 2배씩 성장합니다. 이 경우 배당 재투자 없이도 60대에 월 300만 원 이상의 배당연금을 받을 수 있습니다. 배당금을 끊임없이 재투자하고 추가로 수량을 계속해서 늘려가면 그 시기를 더 앞당길 수도 있습니다.

숫자가 급격히 커지는 것을 보며 세금 걱정부터 하는 분도 분명 있을 겁니다. 월급이 오르면 내야 할 세금도 당연히 증가합니다. 세금을 줄이고자 월급을 덜 받겠다는 어리석은 사람은 없겠죠. 배당연금이 월급을 대체할 수 있을 정도로 커지길 바란다면 배당연금에 부과되는 세금도 자연스럽게 받아들여야 합니다. 적게 벌고, 적게 세금 내겠다면 보유 수량을 줄이면 됩니다. 수량을 늘리는 게 어렵지, 줄이는 건 일도 아니죠. 대신 실질적으로 얻는 수익도 적을 겁니다. 저는 세금을 많이 내더라도 배당연금을 계속해서 늘려가고

40세부터 SCHD에 거치식 투자를 할 경우
(투자금 1억 원, 배당 수익률 3%, 배당 성장률 12% 가정)

40세	46세	52세	58세	64세	70세	76세
월 21만 원	월 42만 원	월 82만 원	월 164만 원	월 328만 원	월 656만 원	월 1312만 원

자 합니다. 배당연금의 성장 속도가 세금이 늘어나는 속도보다 빠르면 계좌에 쌓여가는 수익은 점점 더 커질 겁니다. 장기적인 관점에서 큰 그림을 그려야 합니다.

이번에는 훨씬 더 보수적으로 접근해보겠습니다. 지난 11년 중 가장 안 좋았던 성과가 지속되는 경우로 가정하겠습니다. SCHD의 평균 배당 수익률이 2.57~3.35퍼센트였으니, 2.57퍼센트일 때 1억 원을 거치식으로 투자했다고 가정하겠습니다. SCHD의 지난 11년간 배당 성장률은 연평균 12.2퍼센트였습니다. 하지만 가장 성과가 좋지 않았던 2017년(6.97퍼센트)과 2018년(6.96퍼센트)의 배당 성장률로 계산해보고자 합니다. SCHD의 배당 수익률을 2.57퍼센트, 배당 성장률을 6.96퍼센트로 가정하면 다음과 같습니다.

배당 수익률이 2.57퍼센트로 낮아지자 투자 초기에 받는 배당연금이 18만 원으로 줄었습니다. 배당 수익률이 낮아진 것보다 더 큰 문제는 배당 성장률의 둔화입니다. 배당 성장률이 6.96퍼센트로 낮아지자 6년에 2배씩 성장하던 배당연금은 10년에 2배 정도씩 성

40세부터 SCHD에 거치식 투자를 할 경우
(투자금 1억 원, 배당 수익률 2.57%, 배당 성장률 6.96% 가정)

40세	50세	60세	70세	80세	90세
월 18만 원	월 35만 원	월 70만 원	월 137만 원	월 268만 원	월 526만 원

장하는 것으로 그 속도가 상당히 더뎌졌습니다. 물론 SCHD가 과거의 가장 안 좋았던 기록으로 미래를 채워갈 가능성은 상당히 낮습니다. 하지만 미래를 너무 낙관적으로 봐서는 안됩니다. 가장 안 좋은 상황까지도 가정해보는 연습이 필요합니다. 상황에 따라 배당 성장 속도는 얼마든지 변할 수 있습니다. 변하지 않는 건 방향입니다. 계속해서 성장할 겁니다. 방향에 대한 확신이 있다면 중간중간 배당 성장 속도가 느려지더라도 여유를 갖고 기다릴 수 있습니다.

지금까지 1억 원을 거치식으로 SCHD에 투자했을 때 배당연금이 어떻게 성장하는지 자세히 살펴봤습니다. 배당 재투자와 주가 상승으로 인한 수익을 고려하지 않고 오로지 배당 관점에서만 계산한 보수적인 수익이죠. SCHD의 주가 흐름을 확인해보면 지난 10여 년 동안 배당 성장과 비슷한 수준의 주가 상승이 있었다는 사실을 알 수 있습니다. 10년 동안 3배 이상 성장했죠. 만약 10년 전에 1억 원을 투자했다면 현재 가치는 3억 원 이상입니다. 다시 한번 10년이 흐르면 9억 원 이상이 될지도 모르죠. SCHD와 같은 배당 성장주에 투자하면 배당연금과 동시에 시세차익까지 얻을 수 있습니다. 이보다 더 좋은 투자가 있을까요?

사회초년생을 위한 투자 조언

1억 원을 SCHD에 거치식으로 투자하면 처음부터 월 20만 원 이상의 현금흐름을 만들어낼 수 있습니다. 투자를 시작하자마자 쏠쏠하게 배당받는 재미를 느낄 수 있죠. 하지만 목돈을 갖고 투자를 시작하는 일이 결코 쉽지 않습니다. 월급쟁이라면 더욱 그렇죠. 특히 월급이 적은 사회초년생은 매달 열심히 일해서 모은 돈 일부를 투자에 활용하는 적립식 투자조차 막막하게 느끼는 경우가 많습니다.

얼마 전 취업한 동생에게서 비슷한 고민을 들었습니다. 거치식 투자냐 적립식 투자냐에 대한 고민이 아니었습니다. 투자를 지금 시작할지 아니면 뒤로 미룰지 고민하고 있었습니다. 취업하면 여유가 생기리라 기대하지만 결혼 준비와 내 집 마련이라는 새로운 과제가 생겨날 뿐 여유는 좀처럼 주어지지 않습니다. 금전적인 여유가 생겨 투자를 시작하게 되는 상황은 앞으로도 생기지 않을 가능성이 큽니다. 관점을 바꿔야 답이 보입니다. 투자는 여유가 생겨야 하는 것이 아니라 여유를 만들기 위해 하는 것이죠.

한참을 고민한 뒤 동생을 찾아갔습니다. 제대로 된 마음가짐으로 시작하게 하려면 훨씬 많은 대화가 필요했기 때문입니다. 목돈 마련을 목표로 투자금을 불리려 하면 욕심이 앞섭니다. 위험한 투자로 빠지기 쉽죠. 운이 좋아 단기간에 투자금을 불려도 문제입니다. 거품이 빠지는 건 시간문제이기 때문입니다.

저는 월급을 아끼고 아껴 예·적금만으로 6년 만에 1억 원을 만들면서 절약만으로는 절대 부자가 될 수 없다는 사실을 깨달았습니다. 결코 헛된 경험은 아니었습니다. 대부분의 투자자는 연 3퍼센트의 수익을 우습게 여깁니다. 하지만 그 이자는 1년이라는 기다림 끝에 얻을 수 있는 정말 소중한 수익이죠. 단 3퍼센트를 얻기 위해 끈기 있게 1년을 기다렸습니다. 그리고 다음 해에 또다시 굴려갔죠. 미련해보일 수도 있는 과정을 6년 넘게 반복하며 끈기를 배웠습니다. 제가 조급하지 않을 수 있었던 이유는 수익률 3퍼센트를 위한 1년간의 시간을 버텨왔기 때문입니다.

저는 동생에게도 SCHD 적립식 투자를 추천했습니다. 적금처럼 끈기 있게 모아가면서 배당 수익률 연 3퍼센트의 소중함을 직접 깨닫길 바랐습니다. 그리고 적금과 달리 시간의 힘을 활용해서 자산을 크게 불려나갈 수 있으니 저보다 더 빨리 자산을 쌓아나갈 수 있다고도 강조했습니다. 젊을 땐 고위험 고수익 투자 비중을 늘리라는 투자 전문가의 말에 저는 동의하지 않습니다. 고수익으로 연결될 수도 있지만 그렇지 않은 경우도 많습니다. 무모한 도전으로 아까운 시간을 낭비하는 대신 젊을 때부터 시간의 힘을 최대한 활용하면 저위험으로도 고수익을 기대할 수 있습니다. 월급보다 배당 연금이 커지는 날도 당연히 더 빨라집니다.

동생에게 적립식 투자 종목으로 SCHD를 추천한 이유를 조금 더 자세히 풀겠습니다. 적립식 투자는 매월 기계적으로 모아가기만 하면 될 것 같지만 생각만큼 쉽지 않습니다. 확신이 없으면 매월 꾸준히 모아나가기 힘들죠. 월 적립식 투자는 거치식 투자와 달리 주가가 오를 때도 내릴 때도 흔들림 없이 수량을 모아야 합니다. 처음에는 누구나 투자한 종목을 신뢰하며 적립해나갑니다. 그러다 하락이 지속되면 매수를 미루거나 멈춥니다. 아예 종목을 교체하는 경우도 많습니다. 주가가 장기간 하락하거나 횡보하는 상황이라면 매수 시기가 찾아올 때마다 밑 빠진 독에 물을 붓고 있다는 생각이 들기 때문이죠.

배당 수익 없이 주가 상승만을 바라보면 장기간 적립식으로 모아가는 일이 굉장히 어렵습니다. 배당금이 없는 종목은 수량을 모아가는 행위 자체가 수익으로 연결되지 않으니까요. 아무리 수량을 많이 모아도 주가가 상승하기 전까지 수익은 없습니다. 하락과 횡보의 시간이 길어지면 단 한 푼의 수익 없이 오랜 시간을 버텨야 하죠. 상승에 대한 기약 없이 계좌 잔고가 줄어드는 상황에서 계속 수량을 늘려갈 수 있는 투자자는 별로 없습니다. 하지만 배당연금 투자는 다릅니다.

주가는 우리의 예상을 뒤엎으며 쉴 새 없이 변합니다. 그럴 때마다 투자자의 마음도 흔들리죠. 반면 우리가 매수해서 보유한 수량은 매도하지 않는 이상 변함이 없습니다. 수량에 대한 결정권은 전적으로 투자자에게 있죠. 배당 수익은 투자자가 보유한 수량만큼 주어지기 때문에 배당 수익에 대한 결정권도 투자자에게 있습니다. 매월 꾸준히 수량을 늘려가면 배당 수익 또한 그만큼 늘죠. 적립식 투자자는 수량을 늘리는 행위가 직접적인 수익으로 연결될 수 있도록 배당을 주는 종목에 투자해야 합니다. 장기간 하락하거나 횡보해도 전혀 걱정이 없습니다. 되레 싼 값에 수량을 늘려 배당 수익을 극대화할 기회죠. SCHD를 적립식으로 모아가면 주가 흐름과 별개로 수익에 대한 결정권을 가진 채 투자할 수 있습니다. 배당금을 지급하느냐 지급하지 않느냐가 적립식 투자의 성패를 좌우할 만큼 중요한 요소임에도 대부분의 투자자는 이를 간과합니다.

적립식 투자 종목으로 SCHD가 적합한 이유를 하나만 더 이야기하겠습니다. 주가 변동성이 큰 종목은 적립식 투자 종목으로 적합하지 않습니다. 월 적립식 투자의 경우 매월 흔들림 없이 원칙대로 매수해나가야 합니다. 원칙을 지키지 못하는 상황이 자주 발생할수록 심리적으로 흔들리기 때문이죠. 단기간에 주가가 크게 상승하면 매수해야 할지 말아야 할지 고민하게 될 겁니다. 주가가 오른 상태에서 원칙대로 매수를 진행하면 평균 매수 단가는 높아지겠죠. 그리고 주가가 다시 원래대로 돌아오면 손실 구간으로 진입하게 됩니다. 이러한 과정을 몇 번 반복하다 보면 주가가 높아졌을 때 원칙대로 매수하지 않는 상황이 생깁니다. 그 상태에서 주가가 더 오르면 원칙대로 매수하지 않은 걸 후회하죠. 이렇듯 주가 변동성이 큰 종목을 모아가면 심리적으로 흔들립니다. SCHD는 개별 종목이나 다른 ETF에 비해 변동성이 작은 편입니다. SCHD 주가가 단기간에 크게 상승하거나 크게 하락하는 경우는 거의 없습니다. 매월 규칙적으로 모아가기 적합한 종목이죠. 투자는 처음 형성된 습관과 사고방식이 매우 중요합니다. 좋든 안 좋든 한 번 형성되면 바꾸기 어렵습니다. 투자를 처음 시작하는 사회초년생이라면 올바른 투자 마인드를 형성하면서 자산까지 불려나갈 수 있는 SCHD 적립식 투자에 더 많은 관심을 가져야 합니다.

SCHD에 월 50만 원씩 적립식으로 투자하면?

사회초년생인 동생은 월 100만 원씩 투자가 가능하나, 결혼 준비와 내 집 마련 등 머지않아 목돈이 필요한 상황이 찾아오겠죠. 이럴 때 여유자금을 모두 투자하면 주가가 하락하기만 해도 조급한 마음이 들기 쉽습니다. 우리는 주가 흐름에 결코 자유로울 수도 없으며, 그렇다고 해서 투자를 미뤄서도 안 됩니다. 적은 금액이라도 꾸준히 투자하면서 수량을 쌓아나가야 합니다.

적립식 투자와 시간의 힘을 이해하기 위해 반드시 많은 자금이 있어야 하는 건 아닙니다. 시간의 힘을 이해하려면 시간이 필요합니다. 투자를 미루면 안 된다고 강조하는 이유죠. 시간의 힘을 믿으면 큰돈을 굴릴 때도 심리적으로 흔들리지 않습니다. 동생은 제 이야기를 듣고 투자 계획을 월 100만 원 적립식에서 월 50만 원 적립식으로 변경했습니다. 월 50만 원씩 투자한 수량은 절대 매도하지 않고 계속 모아가기로 했습니다. 투자금을 불려서 결혼 자금으로 쓰겠다는 생각 자체를 원천 봉쇄한 것이죠.

고금리 시대에는 은행 예·적금이 SCHD의 배당보다 매력적일 수 있습니다. 하지만 조금 더 길게 봐야 합니다. 금리는 끝없이 오르지 않습니다. 언젠간 평균 수준으로 돌아오겠죠. 하지만 SCHD의 배당금은 연평균 10퍼센트 내외로 성장합니다. SCHD의 배당 수익률은 3퍼센트에서 시작해 시간이 지날수록 상승하는 반면, 은행 상품의 이자율은 5~6퍼센트까지 올랐다가도 시간이 흐르면 점차 낮아지죠. SCHD의 배당 수익률을 3퍼센트, 배당 성장률을 12퍼센트로 가정하면 5년 후 SCHD의 배당 수익률은 5.28퍼센트가 됩니다. 6년 후에는 5.92퍼센트, 7년 후에는 6.63퍼센트가 되죠. 계속 고금리 상태가 유지된다고 할지라도 5년 이상이면 SCHD의 배당 수익률이 예금 이자율을 역전하게 됩니다. 의미 있는 성과를 내고 싶다면 보다 장기적인 관점으로 봐야 합니다.

동생은 투자금 월 50만 원을 제외한 나머지 자금은 은행 상품을 활용해서 모아가기로 결정했습니다. 고금리 상황까지도 적극적으로 활용하는 셈이죠. 결혼 자금을 더 많이 모으기 위해 노력하다 보면 자연스럽게 아끼고 절약하는 법도 배우게 될 겁니다. 투자금으로 50만 원씩 공제되니 생활은 조금 더 빠듯해질 테지만 10년, 20년이 지나면 노력한 사람과 노력하지 않은 사람의 성과 차이는 눈에 띌 정도로 분명해지겠죠.

적립식으로 월 50만 원씩 SCHD를 10년간 꾸준히 모아가면 어떤 성과를 얻을 수 있을까요? 2023년 1월부터 2032년 12월까지 10년 동안 SCHD에 월 50만 원씩 적립식으로 투자하는 상황을 가정해보겠습니다. 먼저 투자 첫해인 2023년에 투자한 자금부터 보겠습니다. SCHD가 향후 10년간 연 3퍼센트 배당 수익률과 연 10퍼센트 배당 성장률을 꾸준히 유지할 것이란 가정하에 배당연금을 계산하겠습니다. 미리 말씀드립니다. 숫자에 스트레스받지 마십시오. 어차피 정확한 예측은 불가능합니다. 대략적인 흐름 파악이 중요합니다. 흐름만 알아도 거치식 투자와 적립식 투자의 배당금 차이를 이해하는 데 큰 도움이 됩니다.

연초에 600만 원을 한 번에 거치했을 때 배당연금이 매월 50만 원씩 12개월 동안 적립식으로 매수했을 때보다 훨씬 많습니다. 똑같이 600만 원을 투자했지만 조금이라도 빨리 투자하는 것이 배당 수익 측면에서 훨씬 유리하죠.

조금 더 깊숙이 들어가 보겠습니다. 월 50만 원씩 1년간 적립식으로 투자했을 때 투자금은 총 600만 원입니다. 연초에 600만 원을 거치식으로 투자하면 600만 원의 3퍼센트인 연 18만 원(세후 15만 3000원)의 배당금을 받게 됩니다. 월 적립식으로 투자하면 계산이 달라집니다. SCHD의 경우 3, 6, 9, 12월에만 배당금을 지급하기 때문에 1, 2, 3월에 투자한 150만 원의 0.75퍼센트에 해당하는 금액인 1만 1250원(세전)이 3월 배당금으로 지급됩니다. 배당 수익률이 3퍼센트인데 왜 0.75퍼센트만 지급될까요? 배당 수익률을 4개 분기에 나눠서 지급하기 때문입니다. 3퍼센트를 4개로 나누면 0.75퍼센트가 되죠. 실제론 분기마다 약간 차이가 있습니다. 그 차이까지 예측할 수는 없으니 편의를 위해 분기마다 0.75퍼센트의 배당금을 받는 상황으로 계산하겠습니다.

마찬가지로 1월부터 6월까지 투자한 300만 원의 0.75퍼센트인 2만 2500원(세전)이 6월 배당금으로, 1월부터 9월까지 투자한 450만 원의 0.75퍼센트인 3만 3750원(세전)이 9월 배당금으로 입금됩니다. 마지막 12월 배당금은 600만 원의 0.75퍼센트인 4만 5000원(세전)입니다. 총 11만 2500원의 배당금이지만 양도소득세 15퍼센트를 제외하면 결과적으로 손에 쥐는 돈은 9만 5600원이 됩니다. 조금 복잡하죠? 간단히 정리하겠습니다. 연초에 거치식으로 투자하면 보유 기간이 길어져서 적립식 투자보다 더 많은 배당금을 받는다고 일단 기억하면 됩니다.

연초 600만 원 거치식 투자 VS 매월 50만 원 적립식 투자

	3월	6월	9월	12월	합계
거치식 (연초 600만 원 투자)	4만 5000원	4만 5000원	4만 5000원	4만 5000원	18만 원(세전) 15만 3000원(세후)
월 적립식 (매월 50만 원 투자)	1만 1250원	2만 2500원	3만 3750원	4만 5000원	11만 2500원(세전) 9만 5600원(세후)

    지금까지는 투자를 시작한 첫해의 배당 수익 차이만 이야기했습니다. 이듬해부터는 1년 동안 적립식으로 투자한 600만 원이 거치식으로 투자한 것과 똑같은 배당 효과를 냅니다. 2023년 투자 첫해에 600만 원으로 SCHD 60주를 모았다고 가정해보겠습니다. 월 적립식으로 모으면 한 번에 60주를 매수한 것이 아니라 한 달에 5주씩 12개월 동안 꾸준히 매수한 것이겠죠? 3월에는 3개월간 모은 15주에 대한 배당금을, 6월에는 6개월간 모은 30주에 대한 배당금을, 9월에는 9개월간 모은 45주에 대한 배당금을 받을 겁니다. 12월이 되면 1년 동안 모은 60주에 대한 배당금을 받겠죠. 이렇게 2023년 1년 동안 매수한 SCHD 60주로부터 2024년에도, 2025년에도, 그리고 그다음 해에도 계속 배당금을 받게 됩니다. 적립식 투자 첫해인 2023년에는 월별로 모은 수량만큼만 배당금이 지급됩니다. 이듬해부터는 60주 전체에 대한 배당금이 지급됩니다. 2년 차부터는 거치식으로 투자한 것과 똑같은 배당금을 받는 겁니다.

다음 표는 SCHD를 매월 50만 원씩 10년간 적립식으로 모아갈 경우 받게 될 예상 배당금을 연도별로 정리한 겁니다. 2023년 투자금 600만 원으로 2023년 9만 5600원, 2024년 16만 8300원, 2025년 18만 5100원의 배당금을 받을 수 있습니다. 2023년에 받는 첫 배당금을 빨간색으로 표시한 이유는 받게 될 배당금이 유독 적기 때문입니다. 거치식 투자로 한 번에 수량을 모았다면 연 15만 3000원(세후)의 배당금을 받겠지만 매월 수량을 조금씩 늘려갔으니 그보다 적은 배당금을 받게 되는 거죠.

2023년 투자금 600만 원이 모두 투입됐다면 이듬해인 2024년부터는 연 600만 원 거치식 투자가 됩니다. 따라서 투자 2년 차인 2024년에는 600만 원의 3퍼센트인 18만 원(세후 15만 3000원)을 받습니다. 배당 성장률 10퍼센트를 가정했기 때문에 배당금은 15만 3000원(세후)이 아닌 16만 8300원(세후)이 되죠. 다음 해인 2025년에는 배당금이 10퍼센트 또 성장한 18만 5100원이 됩니다. 이렇게 매년 10퍼센트씩 늘어나는 배당금을 받게 됩니다. 2023년에 투자한 600만 원으로 10년 동안 받게 될 총 배당금은 약 238만 원입니다. 여기서 끝이 아닙니다. 적립식 투자로 수량을 모아가는 노력은 이듬해에도 계속되기 때문입니다.

2024년에도 월 50만 원씩 수량을 모아간다고 가정해보겠습니다. 2024년 9만 5600원이라는 적은 배당금을 받겠지만 2025년부

SCHD를 월 50만 원씩 10년간 적립식으로 모아갈 경우
(만 원 단위, 배당 수익률 3%, 배당 성장률 10% 가정)

	2023년 투자금	2024년 투자금	2025년 투자금	2026년 투자금	2027년 투자금	2028년 투자금	2029년 투자금	2030년 투자금	2031년 투자금	2032년 투자금		
2023년 배당금	9.56										2022년 배당금	9.56
2024년 배당금	16.83	9.56									2023년 배당금	26.39
2025년 배당금	18.51	16.83	9.56								2024년 배당금	44.9
2026년 배당금	20.36	18.51	16.83	9.56							2025년 배당금	65.26
2027년 배당금	22.4	20.36	18.51	16.83	9.56						2026년 배당금	87.66
2028년 배당금	24.64	22.4	20.36	18.51	16.83	9.56					2027년 배당금	112.3
2029년 배당금	27.1	24.64	22.4	20.36	18.51	16.83	9.56				2028년 배당금	139.4
2030년 배당금	29.81	27.1	24.64	22.4	20.36	18.51	16.83	9.56			2029년 배당금	169.21
2031년 배당금	32.79	29.81	27.1	24.64	22.4	20.36	18.51	16.83	9.56		2030년 배당금	202
2032년 배당금	36.07	32.79	29.81	27.1	24.64	22.4	20.36	18.51	16.83	9.56	2031년 배당금	238.07
합계	238.07	202	169.21	139.4	112.3	87.66	65.26	44.9	26.39	9.56	10년 배당 합계	1094.75

터는 16만 원 이상을 받게 됩니다. 그리고 받게 될 배당금은 연 10 퍼센트씩 점점 커지죠. 2024년에 투자한 600만 원으로 2032년까지 받게 될 총 배당금은 약 202만 원입니다. 이렇게 10년 동안 투자해나가면 10년 후 어떤 일이 벌어질까요?

매월 50만 원씩 적립식으로 투자해 10년 동안 받게 될 총 배당금만 약 1094만 원입니다. 월 50만 원씩 10년간 적립식으로 투자하면 총 투자금은 6000만 원입니다. 주가 상승으로 인한 자산 증가는 고려하지 않고 오로지 배당 수익으로만 1000만 원 이상을 거둬들이는 것이죠. 10년간의 주가 상승으로 얻게 될 수익은 덤입니다. 매도 후 시세차익을 얻을지 아니면 계속 배당연금을 늘려갈지는 각자의 선택에 달렸습니다. 아마도 행복한 고민일 겁니다.

10년 후 매월 어느 정도의 현금흐름이 만들어지는지도 보겠습니다. 10년 후인 2032년에 받게 될 배당금은 연 238만 원 정도입니다. 분기마다 60만 원 정도의 배당금을 받게 됩니다. 월 기준으로 바꾸어 계산하면 매월 20만 원 수준입니다. 매월 100만 원씩 투자했다면 월 40만 원 정도가 되겠죠. 이 현금흐름은 월 20만 원 수준에 멈춰 있지 않고 계속해서 커져 나갑니다. 공적연금 그리고 연금저축을 포함한 개인연금은 그동안 납입했던 투자 원금이 줄어들면서 연금이 지급됩니다. 배당연금은 다릅니다. SCHD 보유 수량을 그대로 보존한 채 월 20만 원 이상의 현금흐름이 생기는 것이죠.

SCHD를 월 50만 원씩 적립식으로 모아갈 경우
(10년간 받게 될 총 배당금)

	2023년 투자금	2024년 투자금	2025년 투자금	2026년 투자금	2027년 투자금	합계 (만 원)
10년간 받게 될 총 배당금 (만 원)	238.07	202	169.21	139.4	112.3	1094.75
	2028년 투자금	2029년 투자금	2030년 투자금	2031년 투자금	2032년 투자금	
	87.66	65.26	44.9	26.39	9.56	

일하지 않고 꼬박꼬박 들어오는 현금흐름이라면 매월 만 원이라도 결코 작지 않습니다. 최저시급이 1만 원이라고 가정해보죠. 누군가는 자신에게 주어진 1시간을 1만 원과 맞바꿉니다. 시간은 유한합니다. 월 만 원의 현금흐름을 만들었다면 소중한 1시간을 아낀 것이나 다름없습니다. 현금흐름을 시간 개념으로 환산하면 아무리 작은 돈이라도 소중하게 생각하면서 기분 좋게 모아갈 수 있습니다.

이번에는 투자 기간을 5년 더 늘려보겠습니다. 2023년부터 2037년까지 15년 동안 꾸준히 월 50만 원씩 SCHD를 모아가는 거죠. 그럼 총 투자금은 9000만 원입니다. 총 배당금은 과연 얼마나 될까요? 놀라지 마세요. 대략 3000만 원이나 됩니다. 투자금의 30퍼센트 이상을 배당금으로 회수하는 셈이죠. 배당금이 점차 성장하다가 15년 후인 2037년부터는 월 40만 원 이상의 배당연금을 받게 됩니다. 투자 기간이 5년 늘어났을 뿐인데 받는 배당금이 월 20

만 원에서 월 40만 원으로 증가했습니다. 2배 증가했죠. 월 100만 원씩 적립식으로 투자했다면 월 배당금이 40만 원에서 80만 원으로 증가하는 겁니다. 이것이 바로 복리의 마법입니다. 투자 기간이 5년씩 증가할 때마다 월 50만 원씩 적립식으로 투자한 배당연금이 어떻게 변하는지 다음 표를 통해 확인해보세요.

주가 흐름은 예측 불가능하기 때문에 상대적으로 변동성이 적은 배당 정보를 바탕으로 미래 배당 수익을 예측한 자료입니다. 배당 수익률 3퍼센트, 배당 성장률 10퍼센트로 고정한 채 계산했습니다. 예상 배당금과 실제 배당금 사이에는 차이가 있을 겁니다. 하지만 적립식 투자 기간에 따라 배당연금이 변화해가는 흐름을 파악하기

적립식 투자 기간이 길어질수록 더욱 강력해지는 배당연금
(월 50만 원 적립식 투자, 배당 수익률 3%, 배당 성장률 10% 가정)

	투자 기간				
	10년	15년	20년	25년	30년
투자 원금 (납입금)	6000만 원	9000만 원	1억 2000만 원	1억 5000만 원	1억 8000만 원
분기 배당금	약 60만 원	약 120만 원	약 217만 원	약 374만 원	약 627만 원
월 배당금	약 20만 원	약 40만 원	약 72만 원	약 125만 원	약 209만 원
총 배당금	1094만 원	2966만 원	6464만 원	1억 2583만 원	2억 2922만 원

에는 무리가 없습니다.

　적립식으로 모아갈 때도 투자 기간이 늘어남에 따라 배당금이 급격히 커진다는 사실을 꼭 기억하십시오. 눈덩이를 굴려나갈 때도 처음이 어렵습니다. 주먹 크기의 눈덩이를 굴릴 땐 아무리 열심히 굴려도 빨리 커지지 않아 답답하죠. 초반을 잘 버티면 어느 순간부터는 약간의 노력만으로도 눈덩이의 크기가 눈에 띄게 달라집니다. 적립식 투자를 시작한 후 처음 몇 년은 주먹만 한 눈덩이를 굴려 가는 시기라고 생각해야 합니다. 대부분은 작은 눈덩이를 굴리다 멈추는 일을 의미 없이 반복합니다. 10년, 20년이 흘러도 손에 쥐고 있는 건 여전히 주먹만 한 눈덩이일 뿐이죠. 모두가 부러워할 만큼의 커다란 눈덩이를 굴리고 싶다면 모두가 포기하고 떠날 때도 묵묵히 버텨야 합니다. 앞으로 커져나갈 눈덩이에 설렘을 가지고 계속 굴려보는 건 어떨까요?

거치식 투자 VS 적립식 투자

　지금까지 투자 방법에 따라 SCHD의 배당연금이 어떻게 변화하는지 알아봤습니다. 배당연금은 시간이 절대적으로 필요합니다. 목표 수량을 먼저 채웠다는 건 시간을 길게 활용할 수 있다는 말과 같죠. 따라서 초기에 많은 수량을 보유하는 거치식 투자가 배당 수익 측면에서 더 유리합니다. 그런데 시세차익 측면에서도 그럴까요? 지금부터 시세차익 관점에서 거치식 투자와 적립식 투자를 분석한 보고서 3개를 살펴보겠습니다. 결론부터 말하면 답은 없습니다. 누군가에게는 정답이지만 또 다른 누군가에게는 오답인 경우가 있죠. 각자에게 맞는 답을 찾아야 합니다. 보고서를 함께 보면서 나에게 적합한 매수 방법이 무엇일지 고민해보길 바랍니다.

영국 금융기관 앨버트브리지캐피탈에서 2019년 12월 흥미로운 보고서를 발행했습니다. 제목은 〈마켓 타이밍의 허무함The futility of market timing〉입니다.

"1989년부터 S&P500에 매년 1000달러씩 투자한 두 청년이 있습니다. 두 청년은 1년에 단 하루만 매수하는 연 적립식 투자를 30년 동안 꾸준히 해왔습니다. 한 청년은 전생에 나라를 구했는지 매번 하늘이 돕습니다. 연중 주가가 가장 낮은 날만 골라 1000달러씩 매수를 진행했죠. 확률적으로는 253분의 1의 30제곱이니 일어날 가능성은 사실상 0퍼센트에 가깝습니다. 하지만 그런 행운이 일어났습니다. 반면 또 다른 청년은 역사에 길이길이 기억될 만큼 억세게 운이 없는 청년이었습니다. 연중 주가가 가장 높은 날만 골라 1000달러씩 매수했습니다. 두 청년의 투자 원금 3만 달러는 30년이 흘러 어떻게 됐을까요?"

하늘이 돕고 있는 청년의 결과부터 보겠습니다. 3만 달러의 투자 원금은 30년이 흘러 15만 5769달러가 됐습니다. 사실 우리의 호기심을 자극하는 건 억세게 운 없는 청년입니다. 최고가에 매수하는 걸 '상투 잡는다'고 표현합니다. 기가 막히게 상투만 잡아 온 청년의 투자 원금 3만 달러는 손실로 이어졌을까요? 놀랍게도 운 없는 청년의 투자 원금도 12만 1822달러로 크게 불어나 있었습니다. 하늘이 돕는 청년의 78.2퍼센트에 해당하는 성과를 이룬 셈입니다. 보유 기간이 길어지면 두 사람의 수익률 차이는 우리가 생각하는 것만큼 크지 않습니다.

거치식 투자든 적립식 투자든 조금이라도 더 낮은 가격에 매수하기 위해 다들 안간힘을 씁니다. 안타깝게도 들인 시간과 노력만큼 좋은 결과로 이어지지 않습니다. 장기 투자자에게 더 중요한 건 매수 시점보다 보유 기간입니다. 배당연금을 만들 땐 더더욱 그렇습니다. 또한 적절한 매수 시점은 노력만으로 알 수 없습니다. 하지만 보유 기간은 전적으로 우리의 의지입니다. 노력이 통하는 부분에 더 많은 힘을 쏟아야 합니다. 불필요한 감정 소모 없이 월 적립식 투자를 편안하게 이어나가고 싶다면 하늘이 돕는 청년과 억세게 운 없는 청년을 떠올려보십시오. 보고서 끝에 적힌 문구는 다음과 같습니다.

"당신이 평균 이상이란 생각이 들지라도 생각보다 좋은 성과를 얻진 못할 겁니다. 완벽한 투자 타이밍을 찾기 위한 노력을 멈추고 그냥 투자하세요. 그리고 일하러 가세요!"

두 번째로 살펴볼 보고서는 SCHD를 출시한 찰스슈왑에서 2021년 7월에 발표한 리서치 자료입니다. 앞서 소개한 앨버트브리지캐피탈 보고서에서는 하늘이 돕는 청년과 억세게 운 없는 청년 단 두 사람의 성과를 비교했습니다. 찰스슈왑은 조금 더 세분화해 5명의 가상 인물을 만들었습니다. S&P500에 매년 2000달러씩 20년 동안(투자 원금 4만 달러) 꾸준히 투자해왔다는 가정이죠. 참고로 투자 기간은 2001년부터 2020년까지 총 20년입니다. 가상 인물 5명에 대한 특징과 성과는 다음 표로 확인해보세요.

앞선 앨버트브리지캐피탈의 보고서에서는 하늘이 돕는 청년과 억세게 운이 없는 청년의 수익률 차이가 생각만큼 크게 벌어지지 않았습니다. 그런데 찰스슈왑 보고서에서는 보다 의미 있는 정보를 추가로 얻을 수 있었습니다. 먼저 연초와 월초의 성과가 비슷하다는 점에 주목해야 합니다. 1년에 1번씩 총 20회 매수하는 것과 한 달에 한 번씩 총 240번으로 잘게 쪼개서 매수하는 것의 성과가 생각보다 크지 않죠. 20년이 넘는 긴 시간 동안 적립식으로 수량을 모아갈 때 매수 주기나 매수 금액에 지나치게 신경 쓸 필요가 없다

찰스슈왑이 만든 가상 인물 5인의 성과 분석

가상 인물	특징	20년 후 자산	성과 순위
신의 손 (하늘이 돕는 자)	연중 최저점에만 2000달러씩 매수	15만 1391달러	1위
연초 (연 적립식 투자)	매년 초 2000달러씩 매수	13만 5471달러	비슷한 성과
월초 (월 적립식 투자)	2000달러를 12등분해서 매월 초에만 매수	13만 4856달러	
똥손 (억세게 운 없는 자)	연중 최고점에만 2000달러씩 매수	12만 1171달러	4위지만 나쁘지 않음
나 못해 (겁이 많은 자)	현금과 단기채권으로만 보유	4만 4438달러	독보적 하위

는 말입니다. 찰스슈왑이 제시한 적립식 투자 최선의 전략은 다음과 같습니다.

"완벽한 마켓 타이밍을 잡기란 불가능하다. 최선의 전략은 마켓 타이밍을 고려하지 않는 것이다. 대신 계획을 세우고 가능한 한 빨리 투자하라."

표를 확인해보면 의미 있는 수익률 차이는 마켓 타이밍에서 발생하지 않았다는 사실을 알 수 있습니다. 가장 큰 차이는 20년 동안 꾸준히 매수했느냐 안 했느냐에 있습니다. 현금성 자산 위주로 들고 있었던 '나 못해'의 수익률보다 20년간 한결같이 고점에서 매수했던 '똥손'의 수익률이 훨씬 높다는 점에 유의하세요. 혹 2001년부터 2020년까지가 특별한 시기여서 이런 결과가 나왔을까요? 찰스슈왑에 따르면 1926년부터 76개의 서로 다른 구간을 조사해 본 결과 이 중 66개 구간에서 순위 변화가 전혀 없었다고 합니다. 현금성 자산 위주로 보유한 '나 못해'가 중간 이상의 성과를 낸 건 76회 연구 중 단 두 차례에 불과합니다. 개인 투자자의 투자 욕구를 자극하기에 충분히 만족스러운 결론이죠.

우리는 '나 못해'가 중간 이상의 성과를 낸 두 차례에도 관심을 가져야 합니다. 1955년부터 1974년까지의 20년, 그리고 1962년부터 1981년까지의 20년은 모두가 안정적이라고 믿고 있는 S&P500에 투자했어도 오히려 아무것도 안 하느니만 못한 결과를 얻었던 시기였습니다. 적립식 투자로 20년 동안 끈기 있게 수량을 모았지만 별다른 노력을 기울이지 않은 사람보다 성과가 좋지 못했다는 것이죠. 20년 적립식 투자가 실패로 끝날지도 모른다는 마음으로 투자에 임하는 사람은 없을 겁니다. 누구나 향후 주식시장이 우상향이길 간절히 바랍니다. 하지만 생각만큼 상승장이 펼쳐지지 않을 가능성은 얼마든지 존재합니다. 만에 하나 그런 상황이 발생하면 시세차익에만 초점을 맞춘 투자자는 20년간 끈기 있게 투자했어도 아무것도 얻지 못하죠. 아니, 만에 하나가 아닙니다. 과거 사례로 비추어보면 76번 중 2번. 절대 무시할 숫자가 아닙니다. 이 것이 바로 배당 수익에 관심을 가져야 하는 이유입니다. 20년간 꾸준히 배당연금을 받아왔다면 만에 하나 주가 상승으로 인한 수익이 없을지라도 허망하지 않을 겁니다. 오히려 안도하겠죠. 그동안 배당연금은 꾸준히 커졌으니 20년이라는 시간이 결코 헛되지 않은 겁니다.

마지막으로 미국 투자 자문사 뱅가드그룹에서 발표한 자료를 보겠습니다. 매월 정기적으로 들어오는 수입 중 일부를 꾸준히 투자하고 싶다면 적립식 투자가 적합합니다. 목돈을 보유하고 있다면 선택의 갈림길에 서게 될 겁니다. 목돈을 모두 투입해서 빠르게 수량을 늘리는 거치식 투자, 현금을 보유하면서 조금씩 분할로 수량을 모아가는 적립식 투자가 모두 가능하기 때문이죠. 뱅가드그룹 보고서에 따르면, 현금을 보유하며 천천히 매수하는 적립식 투자보다 즉시 수량을 늘리는 거치식 투자가 역사적으로 더 좋은 성과를 냈다는 사실을 알 수 있습니다. 미국, 영국, 호주를 대표하는 지수를 기준으로 60퍼센트는 주식에, 40퍼센트는 채권에 투자했을 때 세 국가 모두 거치식 투자가 12개월 분할 적립식 투자보다 더 나은 성과를 보였습니다.

미국 자료를 집중적으로 살펴보겠습니다. 90여 년에 걸친 긴 기

거치식 투자 VS 적립식 투자
(주식 60%, 채권 40% 투자 가정)

미국 (1926~2015)		영국 (1976~2015)		호주 (1984~2015)	
거치식	적립식	거치식	적립식	거치식	적립식
68%	32%	70%	30%	68%	32%

출처: 뱅가드그룹(2016)

간 동안 거치식 투자가 12개월 분할 적립식 투자보다 더 좋은 성과를 기록할 확률은 68퍼센트에 달합니다. 주식과 채권의 비중을 바꿔도(주식 50퍼센트/채권 50퍼센트, 주식 100퍼센트/채권 100퍼센트) 결론은 같습니다. 다만 이 자료를 '거치식 투자가 적립식 투자보다 유리하구나!' 정도로 가볍게 넘겨서는 안 됩니다. 주식 투자에는 복잡한 요소가 생각보다 많이 숨어 있기 때문이죠. 그중 상당 부분을 차지하는 게 바로 확률입니다. 확률을 올바르게 이해하지 못하면 위험에 빠질 가능성이 높습니다. 목돈으로 한 번에 매수했을 때의 성과가 더 좋을 확률이 68퍼센트, 12개월간 분할 적립식으로 매수했을 때의 성과가 더 좋을 확률이 32퍼센트입니다. 당연히 숫자가 2배 이상 큰 쪽이 훨씬 더 유리해보입니다.

퍼센트로 표시된 이 자료를 연 기준으로 바꿔 다시 살펴보겠습니다. 뱅가드그룹이 조사한 90년 중 61년은 거치식 투자의 성과가 더 좋았고, 29년은 적립식 투자의 성과가 더 좋았습니다. 이제 조금 객관적으로 보이나요? 29년이라는 시간을 가볍게 생각하는 투자자는 없을 겁니다. 단위가 바뀌면 숫자를 바라보는 생각도 함께 달라집니다. 뱅가드그룹의 보고서에는 이런 문구가 적혀 있습니다.

"역사적으로 상승 추세였기 때문에 현금을 보유하고 있는 것보다 시장에 오랜 기간 현금을 노출시킨 거치식 투자가 더 좋은 성과를 기록했다."

우리가 투자하는 동안 주식시장이 상승 추세냐 아니냐에 따라 결과는 얼마든지 달라질 수 있다는 말입니다. 미국 주식시장이 장기적으론 우상향할지라도 구간별로는 하락과 횡보가 수도 없이 많이 존재할 겁니다. 저는 상승장과 하락장에서 모두 마음 편히 투자하고 싶어 2가지 투자법을 동시에 활용하고 있습니다. 굳이 하나의 투자법을 고집할 필요는 없습니다. 목돈을 한 번에 투자했을 때 더 좋은 성과를 얻을 수 있다고 해도 저는 절대로 그렇게 하지 않을 겁니다. 더 좋은 성과를 얻는 것도 중요하지만 편안한 마음으로 투자하는 것도 그만큼 중요하기 때문이죠. 심리적 안정감 없이는 변화무쌍한 주식시장에서 오랫동안 버티기 어렵습니다.

또한 뱅가드 그룹 보고서에서 고려되지 않은 중요한 요소가 하나 있습니다. 바로 환율입니다. 원 달러 환율은 상황에 따라 높아지기도 하고 낮아지기도 합니다. 그러다 결국에는 평균치 근처로 회귀하는 경향이 있습니다. 평균치를 한참 넘어선 상황이라면 한 번에 매수하는 것보다 추이를 살펴보며 조금씩 매수해나가는 전략도 좋습니다. 반대로 환율이 평균보다 낮은 상황이라면 거치식 투자의 비중을 크게 늘리는 전략도 가능하죠.

어느 방법이 더 좋은지 가려낼 것이 아니라 2가지 방법을 장점을 살려 조화롭게 활용해나가는 방법을 찾는 것이 훨씬 중요합니다. 목돈 일부를 거치하면 처음부터 상당한 배당연금을 받을 수 있습니다. 여유만 된다면 목돈 일부를 SCHD에 거치해도 좋습니다. SCHD 수량을 어느 정도 늘려둔 상태에서 배당연금을 만드는 즐거움을 느끼기 시작하면 중도에 포기하는 일은 없을 테니까요.

JEPI를 활용한 월 배당연금 투자 전략

저는 어머니, 아내 그리고 동생과 함께 투자하고 있습니다. 건전한 투자를 지향하는 이유는 혼자서 하는 투자가 아니기 때문입니다. 가족과 투자하면 서로 나눌 수 있는 대화가 많아집니다. 온 가족이 함께 미래를 그리며 희망적인 이야기를 나눌 수 있다는 것만으로도 의미가 크죠. 연령대에 따라 고민은 다릅니다. 60대인 어머니와 30대 후반인 저 사이에 있는 20년 이상의 시간 차도 무시할 수 없습니다. 배당 성장에 시간이 더해지면 미래에 엄청난 현금흐름이 만들어질 수 있다는 사실을 어머니도 충분히 이해합니다. 하지만 20년, 30년 후를 바라보는 투자는 동기부여가 약해보였습니다. 어머니는 그보다 빠른 미래에 안정적인 노후 자금을 마련하는 것이 더 중요하죠. 저 역시 어머니와 투자해보지 않았다면 은퇴가 얼마 남지 않은 투자자의 마음을 쉽게 이해하지 못했을 겁니다.

SCHD의 가장 큰 장점은 연 10퍼센트가 넘는 배당 성장입니다. 매년 꾸준히 배당금이 늘어나기 때문에 15년 이상 장기 보유하면 초기 투자금의 10퍼센트가 넘는 배당 수익을 매년 기대할 수 있죠. 따라서 은퇴 시점까지 20년 이상 남아 있는 젊은 투자자에게는 미래지향적인 SCHD가 최적의 대안입니다. 하지만 은퇴가 얼마 남지 않은 투자자는 다릅니다. 미래뿐만 아니라 곧 있으면 현실로 다가올 은퇴 후 삶까지도 고려하다 보면 심적 부담이 커지기 마련입니다. 실제로 연령대가 높은 투자자는 은퇴에 대한 불안으로 조급해져 리스크 관리에 실패하는 경우가 많습니다.

SCHD 투자가 너무 먼 미래를 그려나가는 투자라는 생각에 시작할 엄두조차 못 내는 분도 의외로 많습니다. 성장주 투자로 투자금을 불린 후 나중에 SCHD로 옮겨오려고 계획하는 분도 많죠. 생각처럼 쉽지 않습니다. 수익이 커지는 속도보다 조급함이 커지는 속도가 빠르기 때문입니다. 많은 시간을 허비한 후 처음부터 배당주에 투자했어야 한다는 커다란 후회만 남게 될 가능성이 높습니다. SCHD를 모아가는 것이 너무 먼 미래를 바라보는 투자법이라는 생각이 든다면 고배당주를 함께 보유하는 방법도 있습니다. SCHD로 미래를 그려가면서 동시에 고배당주로 현재의 삶을 누리는 것이죠. 고배당주에 투자하면 처음부터 큰 눈덩이를 가질 수 있습니다. 단, 크기를 불리기 힘듭니다. 반면 SCHD는 처음에는 작지만 굴릴수록 점점 커지죠. 오랫동안 굴리다 보면 상상을 초월할 정도로 커질 겁니다. 고배당주와 SCHD를 적절히 조합하면 초반부터 적당히 큰 규모의 눈덩이를 굴려나갈 수 있습니다.

배당 수익률이 높은 고배당주는 셀 수 없을 만큼 많습니다. 고배당주를 선택할 때도 개별 종목보다 고배당 ETF에 투자하는 것이 배당 안정성 면에서 더 유리합니다. 오랜 기간 고배당을 지급했던 기업일지라도 그 미래는 아무도 알 수 없습니다. 고배당 ETF 중 월급처럼 매월 배당금을 지급하는 상품 하나를 살펴보겠습니다. JEPI JPMorgan Equity Premium Income라는 커버드콜 ETF입니다.

JEPI는 J.P.모건에서 2020년 5월 20일에 출시한 ETF 상품입니다. 2011년 10월에 출시된 SCHD는 그동안 안정성을 검증받았습니다. JEPI는 운용 기간이 짧은 만큼 향후를 예측하기 어렵습니다. 하지만 단기간에 210억 달러가 넘는 운용 규모가 된 걸 보면 이미 많은

Fund Details

Fund Type	Nontraditional Equity
Issuer	J.P. Morgan Exchange-Traded Fund Trust
Inception	05/20/2020
Expense Ratio	0.35%
AUM	$21.81B

출처: 시킹알파(2023.3)

투자자에게 사랑받고 있다는 사실은 분명해보입니다. 운용 보수는 0.35퍼센트로 SCHD의 운용 보수 0.06퍼센트보다 비싼 편입니다. SCHD는 정해진 지수를 추종하는 패시브 ETF이지만 JEPI는 펀드매니저가 직접 운용하는 액티브 ETF이기 때문이죠. 5배에 달하는 운용 보수에도 불구하고 많은 투자자가 JEPI에 투자하는 가장 큰 이유는 연 10퍼센트가 넘는 엄청난 배당 수익률 때문입니다.

JEPI는 지난 3년 동안 배당금을 꾸준히 늘려 2022년에는 무려 연 11퍼센트가 넘는 배당금을 지급했습니다. SCHD로 연 11퍼센트의 배당 수익률을 만들려면 10년이 넘는 시간이 필요합니다. 하지만 2022년에 JEPI에 투자했다면 투자하자마자 연 10퍼센트 이상의 배당금을 받을 수 있었죠. SCHD는 분기마다 배당금을 지급하는

JEPI의 배당 성장 역사

Dividend Growth History				Download to Spreadsheet
Year	Payout Amount	Year End Yield	Annual Payout Growth (YoY)	CAGR to 2022
2022	$6.3621	11.86%	52.89%	-
2021	$4.1613	7.49%	28.84%	52.89%
2020	$3.2297	7.06%	-	40.35%

출처: 시킹알파(2023)

반면 JEPI는 매달 배당금을 지급하는 것도 큰 매력입니다. 배당금을 매달 받을 수 있고 심지어 더 많이 받을 수 있다면 현금흐름을 만들어내기에 이보다 좋은 조건이 없습니다.

JEPI에 자금이 몰리고 있는 이유는 고배당과 월 배당만으로도 설명이 가능합니다. 그런데 어떻게 10퍼센트가 넘는 배당금 지급이 가능할까요? 배당금을 많이 지급하는 종목으로만 포트폴리오를 구성해도 10퍼센트를 넘기기 불가능합니다. JEPI가 지급하는 배당금은 일반적이지 않은 배당 수익률이란 뜻입니다. 이처럼 말도 안 되는 고배당이 가능한 이유는 JEPI가 커버드콜 전략을 활용하는 ETF이기 때문입니다.

일반적인 ETF는 다양한 종목으로 구성돼 있습니다. 보유하고 있는 주식의 주가가 상승하면 수익이 나고 주가가 하락하면 손실이 납니다. 반면 커버드콜 ETF의 수익과 손실은 보유 주식의 주가로만 결정되지 않습니다. 콜옵션을 팔아서 얻게 된 수익까지 더해지죠. 만약 주식을 보유하고 있는 상태에서 주가가 하락하면 당연히 손실이 커지겠죠? 이때 콜옵션을 팔아서 얻게 된 수익으로 손실을 줄일 수 있습니다. 간단히 표현하면 '커버드콜=주식 보유+콜옵션 매도'입니다. 콜옵션은 미래에 특정가격으로 자산을 살 수 있는 권리를 말합니다.

예를 들어 애플의 현재 주가가 100달러라고 가정해보겠습니다. 한 달 후 애플 1주를 120달러에 살 수 있는 권리가 단돈 1달러에 거래되고 있습니다. 한 달 후 애플의 주가가 120달러 이상으로 상승하리라고 기대하는 사람은 흔쾌히 1달러를 지불하고 그 권리를 살 겁니다. 만약 한 달 후 애플의 주가가 150달러까지 올랐다면 어떨까요? 그 권리를 산 사람은 단돈 1달러로 150달러로 오른 애플 주식을 120달러에 매수할 수 있습니다. 1달러를 써서 30달러를 번 겁니다. 120달러 이상 주가가 상승하리라는 기대로 권리를 샀는데 만약 한 달 후 110달러라면 어떻게 해야 할까요? 110달러짜리 주식을 굳이 120달러를 주고 살 이유는 없습니다. 이때는 매수할 권리를 포기하면 됩니다. 권리를 사는 데 든 비용 1달러를 제외하곤 추가 손실이 없습니다.

콜옵션을 사려는 사람은 주가 상승을 기대합니다. 예상대로 주가가 크게 상승하면 큰 수익을 낼 수 있습니다. 예상만큼 주가가 오르지 않거나 하락하더라도 권리를 행사하지 않으면 그만입니다. 최악의 상황이 펼쳐져도 권리를 사는 데 든 비용만 날릴 뿐이죠. 콜옵션을 사는 이유는 적은 위험을 감수하면서 큰 수익을 노릴 수 있기 때문입니다. 쉽게 말해 복권을 사는 이유와 비슷합니다.

우리가 기억해야 할 건 콜옵션을 매도하는 입장입니다. 커버드콜 ETF는 콜옵션 매입이 아니라 콜옵션 매도로 수익을 얻는 상품이기 때문이죠. 콜옵션 매도자는 권리를 팔아 수익을 얻습니다. 예를 들어 보겠습니다. 애플의 현재 주가는 100달러입니다. 한 달 후 애플을 120달러에 살 수 있는 권리를 1달러에 팔았습니다. 120달러 이상으로 상승할 것이라고 믿는 투자자가 그 권리를 샀습니다. 그런데 주가가 횡보하며 한 달 후에도 애플의 주가는 100달러에 머물렀습니다. 100달러짜리 주식을 120달러에 사면 손해겠죠? 120달러에 살 수 있는 권리를 행사하지 않을 겁니다. 이 경우 콜옵션 매도자는 주가가 100달러에서 횡보했음에도 콜옵션을 매도해 1달러를 벌었습니다. 즉, 커버드콜 ETF는 주가가 횡보해도 수익을 낼 수 있는 강력한 장점을 지니고 있습니다. 주가가 하락했을 때도 콜옵션 매도를 통해 번 수익으로 손실을 조금은 만회할 수 있습니다. 한마디로 하락과 횡보 구간에서는 주식 보유로만 수익을 내는 일반적인 ETF보다 유리합니다.

급격한 상승장이 펼쳐지면 이야기는 달라집니다. 똑같은 예시를 다시 가져와보겠습니다. 애플의 현재 주가는 100달러입니다. 한 달

후 120달러에 매수할 수 있는 권리를 1달러에 팔았습니다. 일단 1달러의 수익을 확보한 셈입니다. 그런데 한 달 후 애플의 주가가 200달러가 됐습니다. 콜옵션을 매입한 사람은 만세를 부를 겁니다. 200달러짜리 주식을 120달러에 살 수 있으니까요. 반대로 콜옵션 매도자는 약속을 지켜야 하니 어쩔 수 없이 200달러가 된 애플 주식을 120달러를 받고 넘겨야 합니다. 권리의 대가로 1달러를 받고 80달러를 손해보는 것이죠.

다행히 최악의 상황은 면할 수 있습니다. 주가가 크게 상승하면서 콜옵션 매도로 인한 손실을 떠안게 됐지만, 다행히 보유하고 있던 주식의 주가도 함께 올랐기 때문에 손실이 상쇄됩니다. 이처럼 주가가 급격히 상승하는 구간에서는 크게 손해를 보는 것도 크게 수익을 내는 것도 아닌 상황이 벌어집니다. 반면 주식 보유로만 운용되는 ETF 상품이나 개별 종목은 상승장에서 엄청난 수익을 냅니다. 간단히 정리하면 커버드콜 ETF는 일반적으로 하락과 횡보 구간에서 유리하고 상승 구간에서 불리합니다.

XYLD는 S&P500을 기반으로 커버드콜 전략을 활용하는 패시브 ETF입니다. 연 10퍼센트를 훌쩍 넘기는 높은 배당 수익률만 보고 많은 투자자가 매수한 상품이죠. 하지만 깊은 하락과 엄청난 반등이 이뤄지면서 커버드콜 ETF의 단점이 명확히 드러났습니다. S&P500(파란색 선)은 2020년 3월에 잠시 하락했다가 급상승하며

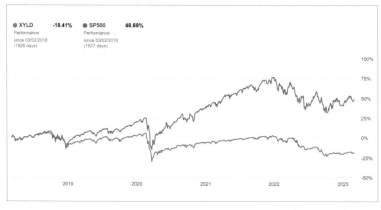

XYLD로 확인된 커버드콜 ETF의 단점
XYLD ——— S&P500 ———

● XYLD **-18.41%**   ● SP500   **48.69%**
Performance   Performance
since 03/02/2018   since 03/02/2018
(1826 days)   (1827 days)

출처: 시킹알파(2023.3)

전고점을 돌파했습니다. 반면 커버드콜 ETF인 XYLD는 2020년 3월에 하락한 후 3년 넘는 기간 동안 전고점을 돌파하지 못하고 있습니다. 커버드콜 ETF에 투자하면 엄청난 배당금을 매월 받을 수 있습니다. 하지만 상승장에서 크게 소외될 수 있다는 점도 반드시 기억하십시오.

JEPI를 운용하는 포트폴리오 매니저는 커버드콜 ETF의 단점을 극복하기 위해 노력하고 있습니다. 실제 주가 상승 구간에서도 다른 커버드콜 ETF와 비교하면 JEPI가 상대적으로 낫습니다. 하지만 펀드매니저의 역량으로 운용되는 액티브 ETF이다 보니 단점 보완 가능성을 어디까지 신뢰할 수 있는지 정확히 파악하기 어렵습니다. 단기적으로는 JEPI가 SCHD의 성과를 상회할 가능성도 충분히 존재합니다. 장기적으로 봤을 때는 배당 재투자를 가정하더라도 SCHD보다 좋은 성과를 내긴 어려워 보입니다. 주가가 급반등하는 구간은 앞으로도 계속 나올 수밖에 없기 때문이죠. JEPI를 포함한 커버드콜 ETF에 투자하는 가장 큰 이유는 10퍼센트가 넘는 고배당 때문입니다. 배당 수익률만 비교하면 SCHD의 배당 수익률 3퍼센트가 초라해 보일 지경입니다. 하지만 15년이 지나면 SCHD의 배당금이 커버드콜 ETF를 앞서나가기 시작합니다. 시간이 흐를수록 배당 수익률 차이는 점점 더 벌어집니다.

투자 기간이 길어질수록 필연적으로 수많은 급반등 구간을 경험하게 됩니다. 따라서 길게 바라보는 투자자에게는 SCHD가 JEPI와 같은 커버드콜 ETF보다 낫습니다. 다만 10년 이상의 시간을 버티지 못하면 아무런 의미가 없습니다. 높은 수익을 안겨주는 종목이 더 좋을 거란 생각을 버려야 합니다. 심리적으로 흔들리면 기대 수

투자 기간에 따른 배당 수익률 변화

	현재	5년 후	10년 후	15년 후	20년 후	25년 후
커버드콜 ETF	10%	10%	10%	10%	10%	10%
SCHD	3%	4.83%	7.78%	12.53%	20.18%	32.5%
SCHD의 배당 수익률 3%, 배당 성장률 10% 가정						

익률을 실현할 수 없습니다. 그러므로 장기 보유자의 가장 합리적인 선택은 SCHD만 모아가는 겁니다.

이때 지치지 않고 배당연금 파이프라인을 만들려면 동기유발도 필요합니다. 그래서 저는 JEPI를 포트폴리오에 일부 편입해 배당연금 규모를 조금 키웠습니다. SCHD의 분기 배당에 JEPI의 월 배당이 더해지며 배당연금을 받는 즐거움이 다소 커졌습니다. 미래의 기대수익률은 조금 낮아진 대신 배당연금 투자에 대한 만족도는 높아진 셈입니다. 하나의 종목만 모아가는 것에 대한 부담도 내려놓을 수 있게 됐습니다. 제 성향에 맞는, 적당히 합리적인 선택을 하면서 동시에 심리적 취약점을 보완한 것이죠.

종합하자면, 미래지향성 투자를 원하면 SCHD 비중을 높이고, 현재지향성 투자를 원하면 JEPI 비중을 높이면 됩니다. 반반 전략도 괜찮습니다. 어떤 투자가 더 마음 편한지는 본인 스스로가 더 잘 알고 있을 겁니다. 오랜 시간 포기하지 않고 즐겁게 투자할 수 있는 방법이 무엇인지 고민해보세요.

04

배당연금술사의 투자 원칙

5분 만에 적정 주가 판단하는 법

좋은 종목에 투자하고도 수익을 내지 못하는 투자자가 많습니다. 좋지 않은 가격에 매수했기 때문입니다. 시세차익을 만드는 기본 원리는 단순합니다. 쌀 때 매수하고 비쌀 때 매도하는 것이죠. 우선 저가 매수가 선행돼야 합니다. 누구나 알고 있죠. 하지만 실제로 저가에 매수할 수 있는 능력을 갖춘 투자자는 그리 많지 않습니다. 싼지 비싼지를 정확히 판단하기 위해서는 그 종목의 내재가치를 스스로 평가할 수 있어야 합니다. 내재가치보다 가격이 낮아야 싸다고 말할 수 있습니다. 주가가 많이 하락했으니 싸졌다는 논리로 매수해서는 안 됩니다. 주가가 하락했어도 내재가치보다 높은 상태라면 여전히 비싼 것이기 때문이죠.

모든 물건에는 대개 적정가가 있습니다. 적정가를 기준으로 판매가가 높은지 낮은지를 판단하면 됩니다. 하지만 주식시장은 다릅니다. 명확한 기준이 존재하지 않기 때문에 같은 종목을 완전히 다르게 평가하는 상황이 자주 발생합니다. 예를 들어 보겠습니다. 정말 운이 좋게도 최저가에 A 종목을 매수했다고 가정해보겠습니다. 뒤집어 말하면 정말 운이 없는 누군가는 A 종목을 최저가에 매도했다는 의미입니다. 매수와 매도는 언제나 동시에 일어납니다. 같은 주가를 상반된 시선으로 바라보는 두 사람이 있을 때 거래가 이뤄지죠. 최고점과 최저점에서조차 같은 가격을 두고 싸다고 생각하는 사람과 비싸다고 생각하는 사람이 공존하는 겁니다. 이처럼 극단적인 결과가 동시에 발생하는 것을 보면 투자자마다 각 종목의 내재가치를 판단하는 기준이 매우 다르다는 사실을 알 수 있습니다.

주가가 종목의 내재가치를 항상 합리적으로 반영한다면 아무렇게나 매수해도 크게 손해 볼 일은 생기지 않을 겁니다. 안타깝게도 가격이 가치를 적절하게 반영하지 못하는 경우가 생각보다 많습니다. 지나치게 저평가되거나 고평가되는 상황이 발생하죠. 가치와 가격이 일치하지 않는 것이 반드시 나쁜 일만은 아닙니다. 내재가치를 정확하게 파악하고 있는 투자자에게는 오히려 이 상황이 엄청난 기회이기 때문이죠. 가치를 정확하게 파악하지 못한 투자자가 헐값에 버리는 종목을 매수할 기회이기도 하고, 탐욕에 눈먼 투자자에게 가치보다 비싼 가격에 수량을 넘길 기회이기도 합니다.

매수할 때는 반드시 상대방이 매도하는 이유도 한 번쯤 생각해 봐야 합니다. 나의 실수인지 상대방의 실수인지를 진지하게 고민해봐야 하죠. 이런 마음으로 접근하면 종목을 공부하지 않고 적당히 매수하거나 매도하는 일은 절대 있을 수 없습니다. 종목의 내재가치를 스스로 평가할 수 없다면 개별 종목 투자로 시세차익을 꾸준히 만들어갈 수 없습니다. 개인 투자자 중에서 이러한 능력을 갖춘 사람은 극소수에 불과합니다. 투자 전문가조차도 모든 개별 종목을 정확히 파악하지 못합니다. 우리는 이런 걱정하지 않아도 됩니다. 우리가 수익을 바라보는 관점은 시세차익이 아닌 보유 수량으로 결정되는 배당 수익에 맞춰져 있기 때문이죠. 게다가 개별 종목이 아닌 100여 개의 종목으로 구성된 ETF에 투자할 것이기 때문에 각 종목의 내재가치를 하나하나 분석하지 않아도 됩니다.

배당 수익에 초점을 맞춘 투자자가 매수 전 행해야 할 일은 비교적 쉽고 간단합니다. 배당 정보를 확인하며 주가가 저평가 상태인지 고평가 상태인지를 파악하면 됩니다. 규칙적으로 배당금을 지급하는 ETF는 배당 정보를 확인해보는 것만으로도 현재 주가가 싼지 비싼지를 쉽게 판단할 수 있습니다. 단 5분이면 됩니다. 시킹알파에서 SCHD의 배당 수익률을 보면 됩니다.

다음 SCHD의 배당 수익률 그래프 이미지를 보면, 대체로 3퍼센트 근처에서 움직이고 있음을 알 수 있습니다. 2020년에는 아주 잠시 4퍼센트를 넘어섰다가 2021년에 다시 3퍼센트대로 돌아왔습니다. 조금 더 자세히 살펴보겠습니다.

SCHD의 배당 수익률은 일반적으로 2퍼센트 후반에서 3퍼센트 초반입니다. 2020년에는 최대 배당 수익률이 4.37퍼센트로 눈에 띄게 높았습니다. 이유는 둘 중 하나입니다. 갑자기 큰 배당금을 지급했거나 주가가 갑자기 하락한 경우입니다. 2020년에 배당 수익률이 높아진 이유는 후자였습니다. 2020년 2월과 3월 코로나19로 겁에 질린 투자자의 공황매도(패닉셀)가 이어지며 주가가 단숨에 30퍼센트 가까이 하락했습니다.

주가와 배당 수익률은 서로 반대 방향으로 움직입니다. 주가가 크게 하락하자 배당 수익률이 크게 치솟은 겁니다. 이때 매수했다면 매년 4.37퍼센트 이상의 배당연금을 확보할 수 있었습니다. 모든 투자자가 겁에 질려 매도했던 때가 현명한 투자자에게는 가장 좋은 매수 기회였습니다. 2020년 3월과 같이 평균 배당 수익률 수준을 크게 웃돈다면 주가가 많이 하락한 상태라는 뜻입니다. 바로 이때가 SCHD를 싸게 매수할 기회죠.

반대 상황도 보겠습니다. 2020년 4월부터 2021년 12월까지 주가가 급격히 상승했습니다. 주가가 상승하는 추세일 때는 앞으로도 계속 오르리라는 생각에 앞뒤 재지 않고 매수하는 투자자가 많습

SCHD의 배당 수익률 그래프

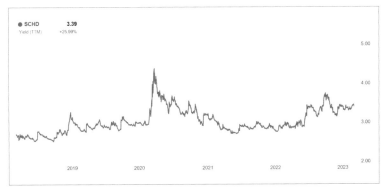

SCHD의 연도별 배당 수익률

Dividend Yield History

Download to Spreadsheet

Year	Year End Yield	Average Yield	Max Yield	Min Yield
2023	-	3.35%	3.44%	3.28%
2022	3.39%	3.15%	3.73%	2.74%
2021	2.78%	2.87%	3.21%	2.69%
2020	3.16%	3.34%	4.37%	2.90%
2019	2.98%	2.91%	3.15%	2.74%
2018	3.06%	2.66%	3.25%	2.47%
2017	2.63%	2.85%	3.00%	2.62%
2016	2.89%	2.85%	3.22%	2.54%
2015	2.97%	2.82%	3.26%	2.56%
2014	2.63%	2.57%	2.79%	2.45%
2013	2.47%	2.63%	2.81%	2.47%

SCHD 2020년 4월~2021년 12월 주가

출처: 트레이딩뷰(2023.3)

니다. 배당 수익 관점으로 보면 이런 실수를 범하지 않을 수 있습니다. 배당 성장 속도보다 주가 상승 속도가 빨라지면 배당 수익률은 점차 낮아지기 시작합니다. 2021년의 평균 배당 수익률은 2.8퍼센트로 주가가 최고점일 때는 2.69퍼센트까지 낮아졌습니다. 만약 이때 매수하면 같은 금액을 투자하고도 더 낮은 배당연금을 받게 됩니다. 매수할 이유가 어디에도 없죠. 배당 수익률이 일반적인 수준보다 높아지면 과감히 매수하고 낮아지면 보류하면 됩니다. 배당 정보 확인은 싼지 비싼지를 판단할 수 있는 가장 쉽고 간단한 방법입니다.

투자 종목과 관련한 온갖 뉴스에 귀 기울이며 감정 소모하지 않아도 되고 투자 종목의 사업보고서를 낱낱이 분석하지 않아도 됩니다. 기업의 가치를 평가하고 기업의 미래를 걱정할 시간에 우리의 가치를 높이고 우리의 미래를 준비해나가는 편이 더 낫지 않을까요?

환율을 고려한 매수법

해외 종목을 저가에 매수하려면 환율을 이해해야 합니다. 각 은행 홈페이지에 접속하면 환율을 쉽게 확인할 수 있습니다. 기간별 평균 환율까지도 확인 가능합니다.

2018년 1월부터 2022년 12월까지 5년간 평균 환율은 1달러당 1177원이었습니다. 기간을 지난 10년(2013년 1월~2022년 12월)으로 보면 1145원, 지난 22년(2000년 1월~2022년 12월)으로 보면 1121원입니다. 평균 1100원대로 형성돼왔던 원 달러 환율은 2022년 6월, 1300원대를 돌파했습니다. 9월에는 무려 1400원대까지 진입했습니다. 이처럼 환율이 높아지면 어떤 일이 발생하는지 간단히 보겠습니다. 투자 정보 통계 사이트 트레이딩뷰에서 환율 변화에 따른 1주당 가격 변화를 직관적으로 확인할 수 있습니다.

2022년 9월, SCHD의 주가가 큰 폭으로 하락했습니다. SCHD뿐만 아니라 미국 시장이 전반적으로 큰 하락세였습니다. 이를 좋은 기회라고 생각해 적극적으로 매수에 나선 투자자가 많았죠. 정말 좋은 매수 기회였을까요? 원 달러 환율이 반영된 주가 그래프까지 확인한 후 판단해보죠.

트레이딩뷰에 SCHD*USDKRW만 입력하면 SCHD가 1주당 몇 원인지 확인할 수 있습니다. 달러 기준으로 그려진 파란색 선(SCHD)은 2022년 9월에 크게 하락했습니다. 달러 자산을 보유한 투자자에게는 정말 좋은 매수 기회였죠. 하지만 원화 기준으로 그려진 빨간색 선(SCHD*USDKRW)은 조금도 떨어지지 않았습니다. 원 달러 환율이 1400원대를 돌파했기 때문입니다. 국내 투자자에게는 SCHD가 최고점을 찍은 2022년 1월에 매수하는 것과 주가가 하락한 9월에 매수하는 게 별다른 차이가 없는 상황입니다. 이처럼 달러로 투자하는 외국인과 원화로 투자하는 우리의 상황이 완전히 다를 수 있다는 사실을 명심해야 합니다.

원 달러 환율이 일반적인 수준일 때는 달러 기준의 그래프만 참고해도 문제가 되지 않습니다. 하지만 2022년처럼 원 달러 환율이 치솟은 경우에는 원 달러 환율을 반영한 주가 그래프를 함께 확인해야 합니다. 환율은 주가만큼이나 예측하기 어렵습니다. 평균치를 크게 벗어나는 상황도 종종 발생하죠. 하지만 어느 정도 시간이 흐르고 나면 결국 평균치 근처로 돌아옵니다. 한때 원 달러 환율

2022년 9월 크게 하락한 SCHD 주가

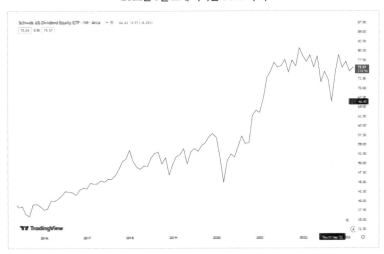

원화 기준 SCHD 주가 VS 달러 기준 SCHD 주가
원화 ――――   달러 ――――

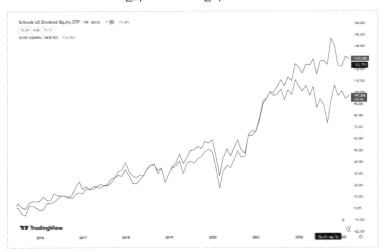

출처: 트레이딩뷰(2023.3)

이 1500원을 넘어서리라고 기대하며 과감히 수량을 늘린 투자자도 많았습니다. 올라갈 땐 다 같이 위를 바라보고 내려갈 땐 다 같이 아래를 바라보는 것이 투자자의 본능이죠. 군중심리에 휩쓸리지 않으려면 모두가 상승을 기대할 때 하락을 경계하고 모두가 하락을 두려워할 때 상승을 준비해야 합니다.

해외 종목을 매수하거나 매도할 때는 환율이 평균치인지 아닌지부터 점검하십시오. 트레이딩뷰에 접속해 직접 확인해보기 바랍니다. 5분이면 충분합니다. 사소한 것이 성과 차이를 만듭니다.

현재와 미래의 배당연금 확인하는 법

배당연금 파이프라인을 지속적으로 만들어나가기 위해서는 배당연금이 점점 커질 것이란 강한 확신이 요구됩니다. 확신을 가질 수 있는 방법은 아주 간단합니다. 눈덩이처럼 불어나는 배당연금을 두 눈으로 직접 확인해보는 겁니다. 저는 주로 '더리치'라는 앱을 통해 배당연금을 살펴보고 있습니다. 현재까지 모은 수량으로 매달 받게 될 배당연금을 한눈에 보여줄 뿐 아니라, 수량을 직접 입력할 수 있는 기능도 있어 미래에 받게 될 배당연금을 예측할 때도 편리합니다. 시간 될 때마다 수시로 보는 편입니다.

아직 더리치를 사용해보지 않은 분들을 위해 활용법에 대해 간단히 알려드리겠습니다. 알고 있는 분이라면 넘어가도 좋습니다. 우선 스마트폰에 앱을 설치하고 로그인하면 포트폴리오 메뉴가 보입니다. 이때 증권사와 연동하면 보유한 주식 정보가 자동으로 넘어옵니다. 물론 일일이 기입할 수도 있습니다. 같이 포트폴리오를 만들어보죠. 포트폴리오의 이름을 설정하고 통화를 선택하세요. 저는 원화(KRW)로 하겠습니다. 참고로 설정은 언제든 바꿀 수 있습니다. 아무것도 담겨 있지 않은 포트폴리오에 SCHD 1주를 가상으로 담겠습니다. 구매 수량과 구매 가격은 직접 입력하거나, '현재가 자동 입력'을 눌러 시세를 적용할 수도 있습니다. 저는 현재가를 입력하겠습니다. 9만 7335원(77.41달러)가 입력됐습니다. 투자 배당률은 배당금을 매수가로 나눈 값입니다. 배당 수익률은 배당금을 현재 주가로 나눈 것이죠. 배당 수익률은 주가에 따라, 투자 배당률은 투자자의 매수가에 따라 시시각각 변합니다.

더리치의 가장 큰 장점은 월 예상 배당연금을 파악할 수 있다는 점입니다. 설정을 바꾸면 세전이나 세후 배당금도 빠르게 확인할 수 있습니다. 실제 우리 계좌에는 15퍼센트의 배당 소득세가 자동 공제된 뒤 입금되기 때문에 세후 설정을 해두는 것이 여러모로 편리합니다. 그 외 배당 기본 정보뿐 아니라 과거 배당락일, 배당 지급일, 분기별 지급액까지 살펴볼 수 있습니다.

더리치의 핵심 기능인 증권사 연동도 함께 보겠습니다. 본인 인

증 과정만 거치면 증권사 자산 정보는 자동으로 앱에 넘어옵니다. 2023년 3월 기준, 저는 매월 20만 원에서 60만 원 정도의 배당연금을 확보해둔 상황입니다. SCHD는 3, 6, 9, 12월에만 배당금을 지급하지만 저는 매월 배당금을 받고 있습니다. 월 배당 ETF인 JEPI를 함께 보유하고 있기 때문입니다. SCHD는 배당 성장 능력이 우수합니다. 따라서 수량을 늘리지 않아도 시간이 흐르면 배당연금은 계속 증가할 겁니다. 수량까지 늘려가면 배당연금이 커지는 속도는 점점 더 빨라지겠죠.

배당연금이 공적연금을 추월하는 때가 분명히 올 겁니다. 저는 이제 공적연금 고갈을 알리는 여러 소식에 불안하지 않습니다. 위태로운 공적연금 대신 더 안정적이고 강력한 배당연금에 집중하고 있기 때문이죠. 더리치를 활용하면 배당연금이 성장하는 과정을 확인하며 성공에 대한 확신을 키울 수 있습니다. 그 확신만 있다면 배당연금 파이프라인 만들기는 시간 문제일 뿐입니다.

저가 매수보다 중요한 절대 원칙

배당연금 만들기의 핵심은 수량입니다. 보유 수량이 늘어날수록 받게 될 배당연금도 커지기 때문이죠. 저가 매수 원칙을 지켜나가는 투자자는 똑같은 금액으로도 남보다 더 많은 수량을 확보할 수 있습니다. 따라서 저가 매수는 시세차익을 노리는 투자자뿐만 아니라 배당 수익을 중점에 두고 있는 투자자에게도 꼭 필요한 원칙입니다.

매수 전 시킹알파를 통해 현재 배당 수익률만 확인해도 평소보다 비싼 가격에 매수하는 실수를 피할 수 있습니다. 현재 배당 수익률이 평균 배당 수익률보다 높다면 주가가 저평가 상태일 가능성이 큽니다. 반대로 배당 수익률이 평균값보다 낮다면 주가가 고평가된 상태이니 수량을 과감히 늘려나가지 않는 것이 좋겠죠. 추가로 트레이딩뷰를 통해 원 달러 환율을 반영한 주가 그래프까지 살피면 높은 환율에 매수하는 실수까지 피할 수 있습니다.

저가 매수는 투자에 있어서 당연한 공식이자 상식이죠. 다만 배당연금에서는 그보다 더 중요한 원칙이 있습니다. 바로 '끝없는 수량 확보'입니다. 절대 원칙이라 해도 될 만큼 반드시 지켜야 하는 부분입니다. 이는 절대 원칙입니다. 저가 매수에 지나치게 집착하면 망설이는 시간이 길어지고 결국 수량은 늘리지 못합니다. 주가와 환율은 정확한 예측이 불가능한 영역입니다. 최저점과 최고점은 상대적인 개념이기 때문에 해당 지점을 지나야만 알 수 있죠. 바닥인 줄 알고 과감히 매수했는데 그 밑에 지하가 있는 경우도 많습니다. 더 낮은 가격에 매수하려고 숨죽여 기다리다 순식간에 반등을 놓치는 경우도 허다합니다.

최저가에 몰아서 매수하겠다는 욕심을 내려놓으십시오. 계속해서 수량을 늘려가겠다는 마음으로 접근해야 합니다. 비쌀 때는 조금 덜 모아가고 쌀 때는 과감히 모아간다는 생각으로 오랜 시간에 걸쳐 꾸준히 모아가는 거죠. 한마디로 저가 매수 원칙을 지켜나가되 저가 매수에 대한 지나친 부담은 버려야 합니다.

SCHD를 오랜 시간에 걸쳐 모으면 누구나 탄탄한 배당연금 파이프라인을 만들 수 있습니다. 하지만 더 나은 선택에 대한 강박 때문에 갈팡질팡하다가 중도 포기하는 경우가 많습니다. 이때 매수를 선택의 관점이 아닌 비중 조절의 관점으로 접근하면 보다 마음 편하게 투자할 수 있습니다. 예를 들면 '거치식 투자와 적립식 투자 중 어떤 것을 선택할까?'라는 이분법적인 사고 대신 '거치식 투자와 적립식 투자를 몇 대 몇 비중으로 가져가는 것이 좋을까?'라는 열린 질문을 던져보는 겁니다. 반드시 더 나은 하나를 골라야 할 필요가 없으니 부담도 줄어듭니다.

저는 실제로 SCHD 거치식 투자와 적립식 투자를 병행하고 있습니다. 성과를 비교해보면서 상황에 맞게 비중을 조금씩 조절해나가고 있습니다. 고민으로 아까운 시간을 낭비하지 마십시오. 그저 열심히 모아가십시오.

4부

ADDITION

배당연금에
레버리지를 더하다

01

배당연금을 공격적 투자로 만드는 법

효율적인 공격수를 영입하라

세계적인 축구 강국이 즐비한 유럽에서는 4년마다 최강국을 가르는 대회(UEFA 유럽 축구 선수권 대회)가 열립니다. 그중 유로2004는 이변의 연속이었습니다. 개최국 포르투갈은 유력한 우승 후보였습니다. 반면 개막전에서 포르투갈과 맞붙은 그리스는 예선 탈락이 유력한 최약체였죠. 포르투갈은 수차례 골문을 위협하며 경기를 주도했지만 승리를 가져간 건 그리스였습니다. 90분 내내 수비에 집중하다 결정적인 순간 역습을 펼쳐 득점에 성공했죠. 그리스의 승리는 운이 아니었습니다. 포르투갈과 맞붙기 전 6경기 연속 무실점을 기록한 바 있었습니다. 쉽게 지지 않는 능력이 있었던 겁니다. 그리스는 모든 경기를 극단적인 수비 전술로 밀고 나갔습니다. 그러다 빈틈이 보이면 공격했습니다. 운명의 장난처럼 그리스와 포르투갈은 결승전에서 다시 만났습니다. 포르투갈은 개막전 패배를 설욕하기 위해 이를 갈았죠. 예상대로 포르투갈은 압도적인 경기력으로 경기를 지배했습니다. 하지만 결국 우승컵은 그리스가 차지했습니다. 그리스는 단 한 번의 유효슈팅을 골로 연결했습니다. 쉴 새 없이 공격하지 않아도 승리할 수 있다는 것을 두 번이나 증명한 것이죠. 2022년 겨울, 비슷한 상황이 한 번 더 펼쳐집니다. 주인공은 모로코입니다. 2022카타르월드컵에서 유력한 예선 탈락 후보였던 모로코는 4강 신화를 썼습니다. 축구 전문가들은 그 비결을 안정적인 수비와 효율적인 공격이라 입을 모았습니다.

주식시장에는 능력치가 다른 이들이 뒤섞여 있습니다. 투자 초보부터 투자 고수까지 서로의 실력을 숨긴 채 경기를 펼치죠. 평범한 개인 투자자가 그 사이에서 살아남으려면 전략이 필요합니다. 그 핵심이 바로 안정적인 수비와 효율적인 공격입니다. 그리스와 모로코가 수많은 강 팀 사이에서 꿋꿋이 살아남은 것처럼 말이죠.

배당연금 투자의 장점은 강력한 수비입니다. 배당금을 지급하는 종목은 하락장에서도 주가 방어 능력이 우수합니다. 게다가 배당금을 재투자해서 하락장을 매수 기회로 활용할 수도 있죠. 남은 과제는 효율적인 공격수를 영입하는 겁니다. 사실 2004년 그리스는 수많은 축구 팬들에게 비판과 질타를 받았습니다. 극단적인 수비 전술이 지루하고 재미없다는 것이었죠. 배당연금 투자도 마찬가지입니다. 오랜 시간 버티면 배당연금이 성공적으로 커나간다는 사실을 알면서도 순간순간 차오르는 답답함을 이겨내지 못하는 경우가 많습니다. 걱정 마십시오. 그 고민을 한 번에 날려버릴 완벽한 전략을 이번 장에서 자세히 공유하겠습니다. 배당연금 투자의 단점을 보완하면서 수익을 극대화할 수 있는 투자 전략입니다. 안정적인 수비 능력을 갖춘 배당 성장 포트폴리오에 레버리지 ETF라는 강력한 최전방 공격수를 영입하고자 합니다. 배당연금에 레버리지 ETF를 더하는 순간 공격력과 수비력을 모두 갖춘 조화로운 포트폴리오가 완성됩니다. 자세한 이야기를 시작해보겠습니다.

FOMO를 막기 위한 안전장치로 활용하라

단점 없는 종목은 없습니다. 물론 SCHD도 마찬가지죠. 따라서 SCHD의 단점을 보완할 수 있는 현명한 투자 전략이 필요합니다. SCHD는 안정적인 배당연금 파이프라인을 만들기에 최적화된 ETF입니다. 큰 장점이죠. 배당 수익률과 배당 성장률 모두 우수하기 때문에 시간의 힘을 충분히 활용한다면 S&P500보다 훨씬 안정적인 현금흐름을 만들 수 있습니다. 또한 하락장에서 주가 방어 능력이 좋죠. 2022년 하락장을 통해 그 능력은 이미 검증됐습니다.

S&P500이 −19.8퍼센트, 나스닥100이 −33.3퍼센트 정도 하락하는 동안 SCHD의 주가는 −6.6퍼센트밖에 내려가지 않았습니다. 연 3퍼센트 이상의 배당 수익까지 고려하면 2022년의 실질 수익률은 −3퍼센트 정도입니다. 상승장에서는 배당 수익률 연 3퍼센트가 적다고 느낄 수 있습니다. 하지만 하락장과 횡보장이 길고 지루하게 이어질수록 SCHD 투자자의 투자 만족도는 점점 더 높아질 겁니다.

단점도 살펴보겠습니다. 대형 기술주가 시장을 이끌어 가는 상승장이 펼쳐지면 SCHD는 상대적으로 소외되기 쉽습니다. SCHD의 포트폴리오에는 빅테크 기업이 없기 때문이죠. 애플, 마이크로소프트, 아마존, 알파벳, 테슬라와 같은 기업에 투자한 주변 투자자가 큰 수익을 내고 있을 때 SCHD 투자자는 상대적인 박탈감을 느낄 수밖에 없습니다. 2020년과 2021년을 잠시 돌아보겠습니다. 2020년 코로나19로 경제 위기가 찾아오면서 경기부양을 위한 주요국의

S&P500 VS 나스닥100 VS SCHD 하락장 방어 능력 비교

	S&P500 (VOO)	나스닥100 (QQQ)	SCHD
2022년 시가	437.93달러	399.05달러	80.9달러
2022년 종가	351.34달러	266.28달러	75.54달러
2022년 수익률	-19.8%	-33.3%	-6.6%

양적완화가 시작됐습니다. 시장에 갑자기 많은 돈이 풀리자 모든 자산 시장의 가격은 빠르게 상승했죠. 이때 '벼락 거지'라는 신조어가 등장했습니다. 월급만 모으고 재테크를 하지 않은 사람이 순식간에 가난해졌다는 의미입니다. 본인의 자산이 줄어들어 가난해진 것이 아니라 주변 사람의 자산이 증가해서 비교적 가난해졌다는 점에 주목해야 합니다. '벼락 거지'는 상대적 박탈감을 자조적으로 표현한 단어니까요. 이처럼 우리의 행복과 불행은 절대적 기준이 아닌 상대적 판단으로 결정되는 경우가 많습니다. 행복 경제학의 아버지로 불리는 리처드 이스털린Richard Easterlin의 연구에 따르면 행복은 자신의 소득 증대와는 별개로 타인의 영향을 크게 받습니다. 자신의 소득이 늘어나는 동안 비교 대상이 되는 타인의 소득도 함께 늘어나면 행복을 느끼지 못할 수도 있죠.

SCHD의 주가는 2020년 1년 동안 10퍼센트 상승했습니다. 당시 연 10퍼센트 주가 상승에 만족한 투자자는 없었습니다. S&P500의 주가가 연 15퍼센트 이상 상승했으니까요. 그렇다면 S&P500 투자자는 연 15퍼센트 수익률에 만족했을까요? 아닐 겁니다. 나스닥 100 지수는 연 40퍼센트 이상 상승했기 때문이죠.

2020년에는 주가가 2배 이상 상승한 개별 종목이 수도 없이 많았습니다. 단기간에 10배 이상 상승한 종목도 있었죠. 이런 상황에서 상대적 박탈감을 느끼지 않고 SCHD를 꾸준히 모아갈 투자자가 과연 몇이나 될까요? 상승장에서는 투자자 대부분이 주가 상승 가능성이 커 보이는 종목을 찾아 이리저리 옮겨 다닙니다. 하지만 생각만큼 큰 수익을 내긴 어렵습니다. 다른 투자자도 비슷한 생각으로 옮겨 다니기 때문이죠. 남과 비슷한 방식으로는 절대 특별한 수익을 얻을 수 없습니다. 수익을 좇아 자주 움직일수록 불안감만 커질 뿐입니다. 타이밍을 맞춰 잘 옮겨 다니는 것이 최고의 능력이라고 생각하지만 흔들림 없이 기다리는 것이 장기 투자자에게 가장 필요한 능력입니다. 장기적인 관점에서는 한 곳에 끈기 있게 머물러야 큰 상승을 놓치지 않고 안정적으로 수익을 창출할 수 있기 때문이죠.

SCHD 투자자는 상승장에서 위기를 맞을 가능성이 높습니다. SCHD 장기 투자에 대한 믿음이 송두리째 흔들릴 수도 있습니다. 이러한 현상을 포모증후군FOMO Syndrome이라고 합니다. FOMO는 '소외되는 것에 대한 두려움'을 의미합니다. 안정적인 수익을 내고 있어도 주가가 상대적으로 덜 오르면 뒤처질까 불안하죠. 저는 상승장에서 이러한 감정을 느끼지 않기 위해 안전장치를 마련해뒀습니다. 바로 3배 레버리지 ETF입니다. 3배 레버리지 ETF란 일별 주가 움직임을 3배로 반영하는 ETF 상품입니다.

예를 들어 보겠습니다. 나스닥100을 추종하는 ETF는 QQQ가 있습니다. QQQ가 하루에 1퍼센트 상승하면 나스닥100의 2배 레버리지 ETF인 QLD는 2퍼센트 상승, 3배 레버리지 ETF인 TQQQ는 3퍼센트 상승합니다. 레버리지 ETF를 활용하면 상승장에서 수익을 극대화할 수 있죠. 하락할 때도 똑같은 원리가 적용됩니다. QQQ가 하루에 1퍼센트 하락하면 QLD는 2퍼센트 하락, TQQQ는 3퍼센트 하락합니다. 하락장에서 엄청난 손실을 경험하게 될 수도 있다는 말이죠.

레버리지 ETF의 강한 변동성 앞에서 심리적으로 무너지는 투자자가 대부분입니다. 변동성이 크다는 이유로 레버리지 ETF를 부정적으로 바라보는 투자자도 많습니다. 하지만 큰 변동성이 무조건 나쁜 건 아닙니다. 변동성이 없다면 수익도 없죠. 큰 변동성은 레버리지 ETF가 가지고 있는 특성일 뿐입니다. 그 특성을 올바르게 제

참고할 만한 레버리지 ETF

	나스닥100	ICE 반도체	S&P500
1배 ETF	QQQ	SOXX	SPY, VOO, IVV, SPLG
2배 ETF	QLD	—	SSO
3배 ETF	TQQQ	SOXL	UPRO, SPXL
비고	—	2021년 6월부터 필라델피아 반도체 지수에서 ICE 반도체 지수로 변경	—

어할 수 있는 투자자에게는 좋은 종목입니다. 하지만 큰 변동성을 감당할 준비가 부족하면 치명적인 실패로 이어질 수 있습니다. 종목이 문제가 아닙니다. 제대로 다루지 못하는 것이 문제죠. 예를 하나 들어 볼까요? 대마초는 대부분의 국가에서 마약류로 분류됩니다. 대마초를 재배한다고 하면 좋지 않은 시선으로 바라보는 경우가 대부분이죠. 하지만 최근 의료용 대마를 합법화하는 국가가 점차 늘어나면서 대마초에 대한 인식도 조금씩 바뀌어가고 있습니다. 누군가에게는 꼭 필요한 약일지도 모릅니다. 문제는 대마초가 아닙니다. 그것을 바람직하지 않게 활용하는 것이 문제죠. 레버리지 ETF도 이와 비슷합니다. 쓸모 있는 약이 될지, 자신을 해치는 독이 될지는 투자자에게 달려 있습니다.

제가 3배 레버리지 ETF를 활용하고자 하는 목적은 분명합니다. 단순히 3배로 돈을 불리겠다는 욕심이 아닙니다. SCHD에는 배당 매력도가 떨어진다는 이유로 시가총액 상위를 자랑하는 빅테크 기업이 빠져 있습니다. 대형주가 시장을 주도해나가는 상승장이 펼쳐지면 시장 지수는 크게 상승하지만 SCHD는 상대적으로 소외되는 상황이 발생합니다. 실제 QQQ의 보유 종목을 확인해보면 상위 10개 종목 비중이 50퍼센트가 넘습니다.

SCHD와 QQQ를 함께 보유하면 시가총액 상위 종목 위주로 상승장이 펼쳐져도 FOMO에서 벗어날 수 있습니다. 1가지 문제가 있

Top 10 Holdings

Apple Inc.	12.03%	Alphabet Inc. ...	3.56%
Microsoft Cor...	11.83%	Alphabet Inc. ...	3.56%
Amazon.com...	6.09%	Meta Platfor...	3.27%
NVIDIA Corp...	4.69%	Broadcom Inc.	2.02%
Tesla, Inc.	4.14%	PepsiCo, Inc.	1.98%

Total Top 10 ...

53.18%

출처: ETF닷컴(2023.3)

습니다. 배당연금을 꾸준히 늘려가기 위해서는 SCHD 수량을 부지
런히 모아가야 합니다. 여기에 QQQ까지 모으려면 목표한 배당연
금이 만들어지는 시기가 처음 계획보다 늦어집니다. 우리의 투자가
산으로 가지 않도록 목표를 다시 한번 되새깁시다. 우리의 목표는
안정적인 배당연금 파이프라인을 만드는 겁니다. 현금이 흘러들어

오는 자동 시스템을 만드는 것이죠. 그렇다면 SCHD 수량 늘리기에 더 집중해야 합니다. QQQ는 상승장에서 소외감을 느끼지 않기 위한 심리적 안전장치일 뿐이죠.

이런 목적이라면 QQQ 대신 QQQ의 3배 레버리지 ETF인 TQQQ를 보유하는 것이 더 효율적인 선택입니다. TQQQ에 100만 원을 투자하면 QQQ에 300만 원을 투자한 것과 비슷한 효과를 얻을 수 있기 때문이죠. 만약 QQQ에 300만 원을 투자할 계획이라면 TQQQ에 100만 원을 투자하고 나머지 200만 원은 SCHD에 투자해서 배당연금을 늘려가는 겁니다. 저는 앞서나가고 싶은 욕심을 더 적은 금액으로 통제하기 위해 3배 레버리지 ETF를 활용하고 있습니다. TQQQ 수량은 FOMO를 벗어날 수 있는 범위 내에서 최소로 보유하는 걸 원칙으로 합니다. 전체 포트폴리오의 20퍼센트를 넘지 않는 선에서 보유하고자 합니다.

3배 레버리지 ETF에 투자한다고 하면 이유 불문하고 탐욕이라고 말하는 사람들이 있습니다. SCHD에 3배 레버리지 ETF를 더하는 투자법은 상승장에서 초과수익을 내고 싶어 과욕을 부리는 것이 아니라 스스로 조절할 수 있는 범위 내에서 허용하는 전략입니다. 욕심은 쉽게 사라지지 않습니다. 쉽게 없앨 수 없다면 원칙을 정해 조절해야 합니다. 이때도 배당연금 만들기라는 투자 목적을 절대 잊지 마십시오. 3배 레버리지 ETF는 목적을 이루기 위한 하나의 수단에 불과합니다.

상승장에서 SCHD가 좋은 성과를 보여주지 못할 때 TQQQ를 조금이라도 보유하고 있다면 큰 위안이 됩니다. SCHD에 3배 레버리지 ETF를 더한 투자법은 공격과 수비가 모두 가능한 전략이니 편안한 마음으로 모든 순간을 즐기세요. 꿈에 그리는 배당연금 파이프라인은 자연스럽게 만들어질 겁니다.

부의 촉매, 레버리지 ETF

증권 정보 포털 사이트 세이브로에 접속하면 국내 주식뿐만 아니라 해외 주식과 관련한 다양한 정보를 얻을 수 있습니다. 그중 우리가 확인할 정보는 2022년 해외 주식 순매수 순위입니다. 해외 주식 투자자가 2022년 한 해 동안 가장 많은 관심을 가졌던 종목이 무엇인지 직접 확인해보겠습니다.

놀랍게도 2022년 순 매수 상위 1위는 TQQQ였습니다. 한국인이 가장 사랑한 종목이 시가총액 상위 기업이 아닌 3배 레버리지 ETF인 TQQQ라는 사실이 놀랍지 않나요? 2위는 테슬라, 3위는 반도체 지수 3배 레버리지 ETF인 SOXL이 이름을 올렸습니다. 4위부터는 순매수량 차이가 급격히 벌어지는 것을 확인할 수 있습니다. 독보적인 TOP3 중 1위와 3위를 3배 레버리지 ETF가 차지한 것이죠.

3위를 기록한 SOXL은 반도체 지수를 추종하는 ETF인 SOXX의 3배 레버리지 상품입니다. SOXX는 2001년 7월에 필라델피아 반도체 지수를 추종하는 상품으로 출시됐습니다. 그러다 2021년 6월부터는 필라델피아 반도체 지수에서 ICE 반도체 지수로 추종 지수가 변경됐습니다. 서로 다른 지수지만 종목 구성은 거의 비슷합니다. 이름만 들어도 알 수 있는 세계적인 반도체 기업인 엔비디아, 브로드컴, 퀄컴, 인텔, TSMC, ASML을 포함한 30여 개의 반도체 관련 기업으로 구성돼 있죠. SOXX의 일별 주가를 3배로 추종하는 ETF가 바로 SOXL입니다. 100개의 종목으로 구성된 TQQQ보다 종목 수가 적고 반도체 섹터로만 구성돼 있어서 TQQQ보다 주가 변동성이 훨씬 큽니다. 일반적으로 종목 수가 많고 다양한 섹터로 이뤄져 있을수록 변동성이 작고 안정된 주가 흐름을 보입니다.

2022년에 많은 투자자가 3배 레버리지 ETF인 TQQQ와 SOXL에 열광했던 이유도 살펴보겠습니다. 먼저 1배수 ETF인 QQQ와 SOXX의 2012년부터 2021년까지의 10년간 주가 흐름부터 확인하겠습니다.

나스닥100을 추종하는 QQQ는 2012년 1주당 56.91달러로 시작해 2021년 12월 말 397.85달러가 됐습니다. 7배의 주가 상승이 이뤄진 겁니다. 반도체 지수를 추종하는 SOXX는 2012년 1주당 50.51달러로 시작해 2021년 12월 말 542.32달러가 됐습니다. 주

QQQ와 SOXX 비교

	QQQ	SOXX
2012년 시가	56.91달러	50.51달러
2021년 종가	397.85달러	542.32달러
10년 수익률	+599%	+974%

가가 10년 동안 무려 11배로 성장했습니다. 같은 기간 삼성전자가 3.7배, SK하이닉스가 5.8배 상승한 점을 고려하면 지난 10년 동안 미국 반도체 기업의 주가 상승세가 훨씬 두드러졌다는 사실을 알 수 있습니다. 놀라긴 이릅니다. 정말 놀라운 건 3배 레버리지 ETF인 TQQQ와 SOXL의 주가 흐름입니다.

TQQQ의 주가는 2012년부터 2021년까지 무려 110배 이상 상승했습니다. SOXL 147배가 넘습니다. 입이 떡 벌어지죠. 평생 투자해도 10배 상승하는 종목을 하나 보유하기 쉽지 않은데 TQQQ와 SOXL은 단 10년 만에 100배 이상의 수익을 올렸습니다. 10년 전에 100만 원만 투자했어도 1억 원입니다. 1000만 원을 투자했다면 10억 원이 훌쩍 넘죠.

'SCHD를 모아갈 게 아니라 TQQQ나 SOXL에 투자해야 하는 것 아니야?'라는 생각이 들 수 있습니다. 우리가 반드시 기억해야 할 이야기는 지금부터 시작입니다. TQQQ와 SOXL을 10년 이상 장기 보유해 100배 이상의 수익을 낸 사람은 얼마나 될까요? 아마 없을 겁니다. 누구나 흥미로운 이야기에 관심을 가집니다. 곧 콘텐츠로 만들어지기 마련이죠. TQQQ, SOXL로 10년 만에 100배 이상의 수익을 냈다면 수익률은 10년간 연평균 58퍼센트가 넘습니다. 삼성전자에 20년 이상 장기 투자해서 자산을 불린 이야기, 테슬라에 초기 투자해서 엄청난 수익을 낸 이야기보다 훨씬 자극적이고 흥미롭죠. 하지만 아직 전해지지 않는 걸 보면 실존하지 않을 가능성이 높습니다. 차트상으로는 100배 이상의 수익을 올리는 게 쉬워 보이지만 실제론 아무도 버티지 못할 만큼 어렵다는 뜻입니다. 3배 레버리지 ETF는 상승과 하락의 폭이 일반 종목과는 비교할 수 없을 정도로 크기 때문입니다.

3배 레버리지 ETF에서는 일주일 사이 주가가 20퍼센트 이상 오르내리는 일이 흔합니다. 다른 개별 종목이라면 1년 동안 일어날 법한 주가 변화가 TQQQ와 SOXL에서는 단 며칠 사이에 발생하죠. 엄청난 상승과 하락이 물결치듯 반복되면서 큰 수익이 한순간에 엄청난 손실로 바뀌는 일이 수없이 발생합니다. 장기 보유를 계획했던 투자자도 이런 상황을 연이어 마주하면 흔들릴 수밖에 없습니다. 수익 구간이 오면 손실이 나기 전 빠르게 수익 전환을 해버리죠. 이처럼 변동성이 큰 종목에 투자할 땐 장기 투자를 염두에 두고 시작했어도 결국에는 단기 매매로 끝나게 되는 경우가 많습니

다. 고점에서 팔고 저점에서 다시 매수하는 행위를 몇 번 반복하다
보면 장기 보유하는 것보다 더 빨리 더 큰 수익을 낼 수 있다는 환
상에 빠지게 되죠. 운이 좋아 몇 번 수익을 낼 수는 있습니다. 하지
만 이를 꾸준히 반복할 수 있는 투자자는 거의 없습니다. 거의 불가
능하다고 봐야 합니다.

장기 보유가 어려운 이유는 또 있습니다. 바로 두려움입니다.
2012년부터 2021년까지 TQQQ의 주가는 110배, SOXL의 주가는
147배 뛰었습니다. 하지만 2022년, 예상을 뛰어넘는 강한 하락장
이 찾아왔습니다.

단 1년 만에 TQQQ는 고점 대비 −80퍼센트, SOXL은 −90퍼센
트가 넘는 엄청난 주가 하락이 발생했죠. 만약 2021년 말 SOXL에
1억 원을 투자했다면 1년도 되지 않아 자산 가치가 1000만 원 이
하로 줄었을 겁니다. 원금을 회복하려면 10배 이상의 주가 상승을
기대해야 하는 상황에 평정심을 유지할 수 있는 투자자는 거의 없

TQQQ와 SOXL 비교

	TQQQ	SOXL
2012년 시가	0.75달러	0.46달러
2021년 종가	83.17달러	68.01달러
10년 수익률	+10989%	+14685%

습니다. 오랫동안 손실을 만회하지 못할지도 모른다는 불안이 생기기 마련입니다.

실제 TQQQ는 4년 전 주가까지, SOXL은 무려 5년 전 주가까지 내려갔습니다. 이런 상황을 맞으면 장기 투자에 회의가 듭니다. 하지만 실망스러운 결과라고 단정 짓긴 어렵습니다. 2013년부터 2022년까지 10년 동안 TQQQ와 SOXL을 보유했다고 가정해보겠습니다. 2022년에 발생한 TQQQ −80퍼센트, SOXL −90퍼센트의 엄청난 주가 하락을 모두 반영한 결과입니다.

10년 동안 TQQQ를 보유했다면 투자금은 15배 정도로 불었을 겁니다. 연평균 수익률로 환산해보면 31.03퍼센트입니다. 장기투자를 회의적으로 보기에는 꽤 높은 수익률입니다. SOXL도 보겠습니다. 2022년, 주가가 10분의 1 정도 토막 나는 경험을 했지만 10년 동안 투자금은 20배 가까이 불었습니다. 연평균 수익률은 무려 35.03퍼센트에 달합니다. 10년 연평균 수익률 30퍼센트를 넘길 수 있는 투자자 비율이 과연 얼마나 될까요? 주기적으로 엄청난 하락이 발생하더라도 멀리 봤을 때 수익률은 평균 이상일 수 있습니다. 이런 관점으로 접근하면 2022년과 같은 큰 하락장은 누려움에 떨고 있을 시기가 아니라 10년 후를 위한 좋은 매수 기회입니다. 상황을 어떻게 바라보느냐에 따라 불안의 크기는 커질 수도 있고 작아질 수도 있습니다.

	TQQQ	SOXL
2013년 시가	1.16달러	0.48달러
2022년 종가	17.3달러	9.67달러
10년 수익률	+1391%	+1915%
연평균 수익률	+31.03%	+35.03%

　저는 깊은 하락장에서 TQQQ와 SOXL을 열심히 모아두면 오랜 시간이 흐른 뒤 큰 수익을 손에 쥘 수 있다는 믿음을 가지고 있습니다. 큰 비중을 둘 생각은 없습니다. 3배 레버리지 ETF를 부의 촉매로 보고 있기 때문입니다. 화학반응 속도를 조절하는 물질을 촉매라고 합니다. 촉매를 효과적으로 활용하면 원하는 결과를 훨씬 빨리 얻을 수 있죠. 하지만 속도를 높이고 싶은 마음에 너무 많이 촉매를 첨가하면 자칫 폭발로 이어질 수 있습니다. 속도가 빨라지기는커녕 한순간에 모든 걸 잃게 되죠. 촉매를 활용할 때는 필요한 양만 사용해야 합니다. 3배 레버리지 ETF도 마찬가지입니다. 빨리 큰 수익을 얻고 싶은 욕심에 비중을 지나치게 높이면 예상치 못한 하락이 찾아왔을 때 심각한 타격을 입습니다. 계좌만 타격을 입는 것이 아닙니다. 심리적으로도 회복하기 어려운 충격을 받습니다.

　한번 마음이 흔들리고 나면 그 이후에는 투자를 계속해나가기 어렵습니다. 레버리지 ETF 투자뿐 아니라 전반적인 계획이 흔들리죠. 우리의 목표는 SCHD를 꾸준히 모아 배당연금 파이프라인을 만드는 것이라는 사실을 절대 잊지 마십시오. TQQQ와 SOXL은 상승장에서 느낄 소외감을 덜어주는 역할만 수행해도 제 역할을 다한 겁니다. 엄청난 수익을 가져다주지 않아도 보유할 가치는 충분하죠. 이런 마음으로 보유하면 SCHD와 3배 레버리지 ETF 모두 마음의 동요 없이 오랫동안 보유할 수 있습니다.

배당연금 파이프라인을 만드는 과정 중 TQQQ, SOXL로 100배 수익을 얻을지는 모르는 일입니다. 저는 3배 레버리지 ETF 투자 비중을 20퍼센트 이하로 조절해가면서 이런 마음을 가질 생각입니다. '잘되면 대박! 안 되면 말고!'

02

SCHD+TQQQ, SOXL 투자 전략

리스크 관리를 위한 리밸런싱 원칙 만들기

세상사 노력한다고 다 되지 않습니다. 투자에도 노력이 즉각 반영되는 영역이 있고 그렇지 않은 영역이 있습니다. 열심히 노력한 투자자 중 시세차익을 얻지 못하는 이도 많습니다. 하지만 보유 수량은 그 노력이 즉각 반영됩니다. 마음먹고 보유 수량을 늘리면 늘어나는 수량만큼 배당 수익도 함께 커집니다. 시세차익과 배당 수익 중 우리의 노력이 더 적극적으로 반영되는 영역은 단연 배당 수익입니다.

리스크를 관리할 때도 마찬가지입니다. 안전한 종목에 투자하면 리스크를 줄일 수 있다고 생각하는 투자자가 많습니다. 과연 안전한 종목이 존재하긴 할까요? 우리나라 재계 1위 삼성전자를 예로 들어보겠습니다. 기업이 탄탄한 것과 주가 흐름은 별개입니다. 실제로 삼성전자의 주가는 2021년 1월에 9만 6800원을 찍은 뒤, 2022년 9월에 5만 1800원까지 떨어졌습니다. 1년 8개월 만에 고점 대비 −46.5퍼센트나 하락한 것이죠. 우리나라에서 가장 우량하다고 평가받는 기업조차 시장 상황에 따라 주가가 반토막날 수 있다는 사실을 알 수 있습니다.

아무리 좋은 기업이라도 투자 관점으로 바라보면 손실 가능성은 언제나 존재합니다. 애초에 안전한 종목이라는 자체가 존재하지 않죠. 그러므로 애시당초 안전한 종목을 택해 리스크를 줄이겠다는 생각은 하지 않는 것이 좋습니다. 그래도 살아남을 수 있는 방법은 있습니다. 바로 자산 배분입니다. 투자자가 자산을 어떻게 배분하느냐에 따라 변동성이 커질 수도 있고 줄 수도 있습니다. 이 말은 곧 변동성을 줄이는 방향으로 자산을 배분하면 위기 상황이 발생하더라도 큰 손실을 피할 수 있다는 의미입니다. 1가지 단점을 꼽는다면 큰 수익도 기대할 수 없다는 것이죠. 또 변동성이 작다고 무조건 안전하지도 않습니다. 물가가 오르는 만큼 자산이 증가하지 않으면 안전하다고 볼 수 없습니다.

최상의 방법은 자신에게 맞는 적당한 변동성을 찾아 그 수준으로 계속 유지하는 겁니다. 현금 비중이 높을수록 변동성은 작아집니다. 현금은 수익률 0퍼센트인 종목이라고 생각하면 이해가 쉽습니다. 이때 주식 비중을 높이면 변동성이 커집니다. 수익 창출과 손실 가능성이 함께 커지죠. 이렇듯 자신이 감당할 수 있는 위험의 크기를 제대로 파악하고 그 선을 넘지 않는 범위 내에서 수익을 창출하는 것이 관건입니다.

월급과 같은 현금이 매달 들어오는 상황이라면 현금 비중을 조금 낮춰도 큰 문제가 되지 않습니다. 갑작스런 하락장을 맞이해도 꾸준히 투입할 수 있는 현금이 있다는 것 자체가 하나의 안전장치이기 때문이죠. 만일 현금흐름이 원활하지 않다면 혹시 모를 큰 하락을 대비해 현금 비중을 늘려 변동성을 줄여야 합니다. 현금흐름 여부에 따라 자산 배분을 설정하는 것이 투자 리스트를 줄일 수 있는 지름길입니다.

제 경우에는 월급을 포함한 현금이 안정적으로 흘러들어오고 있어 현금 비중을 줄이고 주식 비중을 늘렸습니다. 이처럼 주식 비중이 현금보다 상대적으로 높다면, 변동성을 제어할 수 있는 또 다른 안전장치가 필요합니다. 3배 레버리지 ETF 투자가 유행처럼 번지면서 현금 비중 없이 레버리지 ETF로만 포트폴리오를 구성하는 투자자가 꽤 많아졌습니다. 변동성을 감당할 수 있는 수준은 사람마다 다르기 때문에 무조건 틀렸다고 말하기는 어려우나, 포트폴리오에 담겨 있는 종목을 훨씬 더 조심스럽게 구성할 필요는 있습니다. 레버리지 ETF로만 포트폴리오를 구성하면 제어력을 잃기 더욱 쉬워지기 때문입니다. 세상에서 가장 빠르지만 브레이크가 없는 차를 탄 것과 비슷한 기분일 겁니다.

장애물만 없으면 누구보다 빨리 목적지에 도착할 수 있습니다. 다만 달리는 차 앞에 장애물이 없길 간절히 기도해야 합니다. 저는 불안에 떨면서까지 투자하고 싶지는 않습니다. 편한 마음으로 안정적인 성과를 만들어나가고 싶습니다. 그러므로 현금 비중을 줄이고 주식 비중을 늘린 대신 주식 포트폴리오를 SCHD 위주로 구성했습니다. 하락장에서도 배당 수익을 활용해 큰 손실을 막고 변동성도 줄일 수 있습니다. 앞으로도 SCHD 비중을 늘려 감당할 수 있을 정도의 변동성만 활용할 생각입니다. 포트폴리오의 80퍼센트는 SCHD, 20퍼센트는 TQQQ와 SOXL로 채워갈 겁니다.

2021년 상승장에서 TQQQ와 SOXL의 주가가 크게 상승하면서 포트폴리오 비중 30퍼센트를 넘긴 적이 있습니다. 그러자 계좌 잔고가 하루에도 수백, 수천만 원씩 오르내렸습니다. 무던한 성격임에도 불구하고 피로도가 확 올랐죠. 3배 레버리지 ETF 비중 30퍼센트는 제가 감당할 수 있는 수준의 변동성이 아니었다는 증거입니다. 이처럼 누구에게나 감당할 수 있는 수준이 있습니다. 변동성을 감당할 수 있다고 해서 더 뛰어난 투자자도 아니며, 반대로 변동성을 감당하기 힘들다고 해서 부족한 투자자도 아닙니다. 자신을 제대로 파악하고 그에 맞는 투자를 하는 사람이 현명한 투자자죠. 저는 2021년과 같이 3배 레버리지 ETF 비중이 커져 변동성을 감당하기 어려워지는 순간이 또다시 찾아온다면 일부 매도해서 SCHD로 조금씩 옮기고자 합니다. 기회가 올 때마다 TQQQ와 SOXL을 SCHD로 조금씩 옮기다 보면 배당연금 파이프라인 구축 시기도 한층 앞당겨질 겁니다. 이렇게 자산 편입 비중을 재조정하는 일을 리밸런싱Rebalancing 이라고 합니다. 자신만의 리밸런싱 원칙을 세운 후 꼭 지켜나가기 바랍니다.

배당금으로 TQQQ, SOXL 매수하기

우리는 매월 또는 분기마다 입금되는 배당연금을 자유롭게 쓸 수 있는 날을 꿈꾸고 있죠. 그러기 위해서는 배당연금이 어느 정도 의미 있는 규모가 될 때까지 소비를 미루는 것이 좋습니다. 배당금을 바로 쓰지 않고 재투자해서 배당 성장 ETF 수량을 계속해서 늘려가야 합니다. 늘어난 수량만큼 받게 될 배당연금은 커집니다. 이 방법을 배당 재투자라고 합니다.

배당금으로 3배 레버리지 ETF인 TQQQ 또는 SOXL을 모아가는 방법도 있습니다. 간단하면서도 높은 안정성과 수익성을 기대할 수 있는 좋은 투자법입니다. SCHD에 1억 원을 투자했다고 가정해보죠. 그러면 분기마다 약 60만 원, 연 기준으로는 240만 원 정도의 배당금을 받게 됩니다. 15년 정도 후면 추가 매수 없이도 연 1000만 원이 넘는 배당금을 받을 수 있습니다. 15년을 기다리지 않고 연 240만 원 받을 때부터 매년 TQQQ와 SOXL에 투자한다면 어떻게 될까요? 배당금이 연 1000만 원 이상으로 커질 때쯤이면 TQQQ와 SOXL의 자산 가치는 수억 원 이상이 되어 있을 수도 있습니다. 한마디로 이 방법은 기본적으로는 안정적인 투자를 지향하면서 배당금으로만 공격적인 투자를 시도해볼 수 있는 흥미로운 전략입니다.

배당금으로만 공격적인 투자를 하면 실패해도 크게 잃을 것이 없습니다. 성공으로 이어진다면 큰 수익을 낼 수 있죠. 저는 이런 '플러스알파 전략'을 자주 활용합니다. 추가적인 수익을 더하는 일이니 '망해도 그만, 잘되면 대박!'이라는 생각으로 편안하게 투자하고 있습니다. 이런 마음으로 접근하니 오히려 큰 수익을 낸 경우가 많았습니다.

이쯤에서 2013년부터 2023년까지 10년간 매년 100만 원씩 TQQQ에 적립식으로 투자한 결과를 살펴보겠습니다. 운이 없게도 매년 주가가 최고점을 기록했던 날만 골라 100만 원씩 매수했다고 가정하겠습니다. 심지어 2022년에는 주가가 −80퍼센트 이상 빠지는 최악의 상황도 발생했습니다. 2022년 TQQQ의 최고가는 85.95달러, 최저가는 16.1달러였습니다. 10년 동안 최고점에서 연 적립식으로 모아온 수량을 중간값인 50달러에 매도했다면 과연 어떤 결과를 얻게 될까요? 총 투자금은 1000만 원입니다. 10년이 지난 후 50달러에 매도하면 자산 가치는 5993만 원이 됩니다. 10년간 수익은 4993만 원, 평균 수익률은 연 19.61퍼센트에 달합니다. 매년 최고점에서 매수하면서도 이런 엄청난 성과를 이뤄낸 것이죠. 더 놀라운 건 거치식 투자가 아닌 연 적립식 투자로 연 20퍼센트 가까운 수익을 만들어 냈다는 점입니다.

같은 방식으로 2013년부터 2023년까지 10년간 SOXL에 매년 100만 원씩 투자한 결과도 보겠습니다. 2022년 SOXL의 최고가는 74.21달러였습니다. 최저가는 고점 대비 90퍼센트 이상 하락한

연 최고점에서 TQQQ를 100만 원씩 매수했을 경우
(2022년 중간값인 50달러로 매도가 가정, 2013~2022년 10년간 최고점 매수)

	2013	2014	2015	2016	2017	2018
최고점(달러)	2.59	4.41	5.37	5.71	12.27	18.34
수익률(%)	+1830	+1033	+831	+775	+307	+172
손익(만 원)	1830	1033	831	775	307	172
	2019	2020	2021	2022		
최고점(달러)	22.27	45.85	91.68	85.95		
수익률(%)	+124	+9	-46	-42		
손익(만 원)	124	9	-46	-42		

6.21달러였습니다. 최고점과 최저점의 중간값인 40달러에 매도했다고 가정해보겠습니다. 마찬가지로 총 투자금은 1000만 원입니다. 10년이 지난 후 40달러에 매도하면 자산 가치는 8530만 원, 평균 수익률은 23.91퍼센트에 해당합니다. 실로 엄청난 성과죠. 최고점에서 매수해도 이 정도이니 우리는 더 이상 좋은 타이밍을 찾기 위해 고군분투하지 않아도 됩니다.

여기서 기억해야 할 점은 10년 동안 멈추지 않고 꾸준히 투자를 이어나가야 한다는 겁니다. 배당 수익률 3퍼센트인 SCHD에 4000만 원을 투자하면 연 100만 원(세후)의 배당금을 받게 됩니다. 이것으로 TQQQ 또는 SOXL을 모아가십시오. 4000만 원이 없더라도

연 최고점에서 SOXL을 100만 원씩 매수했을 경우
(2022년 중간값인 40달러로 매도가 가정, 2013~2022년 10년간 매수)

	2013	2014	2015	2016	2017	2018
최고점(달러)	1.15	2.44	2.83	4.33	11.45	13.93
수익률(%)	+3378	+1539	+1313	+823	+249	+187
손익(만 원)	3378	1539	1313	823	249	187
	2019	2020	2021	2022		
최고점(달러)	18.99	32.27	74.07	74.21		
수익률(%)	+110	+23	-46	-46		
손익(만 원)	110	23	-46	-46		

같은 전략을 쓸 수 있습니다. JEPI(배당 수익률 10퍼센트 가정)는 SCHD 보다 배당 수익률이 높습니다. 1200만 원 정도로도 연 100만 원의 배당금을 기대할 수 있죠. 물론 장점만 있는 건 아닙니다. JEPI에 투자하면 SCHD만큼 꾸준한 배당 성장과 주가 상승까지 기대하기는 어렵습니다. 자신의 상황에 맞게 SCHD와 JEPI의 비중을 적절히 조절해보기 바랍니다.

SCHD의 배당 수익률은 3퍼센트, JEPI는 10퍼센트 정도입니다. 때문에 배당금으로만 레버리지 ETF를 모아가면 레버리지 ETF 비중이 지나치게 높아질 가능성은 거의 희박합니다. 수익을 좇다 보면 자신도 모르는 사이 위험에 노출될 수 있습니다. 이때 배당금으로만 모아간다는 원칙만 따른다면 절대로 위험에 빠지는 일은 없을 겁니다.

배당금으로 모은 레버리지 ETF가 어느 정도 수익을 내고 있다면 몇 년에 한 번씩 매도하는 것도 좋은 선택입니다. 매도해서 얻은 수익금으로 SCHD 수량을 늘려 배당연금 파이프라인을 더 탄탄하게 만들어보는 겁니다. 더 많은 배당연금이 만들어지니 계속해서 TQQQ와 SOXL의 수량을 확보해나갈 수 있겠죠. 배당금으로 3배 레버리지 ETF를 모아가는 것만큼 안전하고 마음 편한 방법은 또 없을 겁니다. 위험을 최소화하면서 배당연금을 늘리고, 거기에 자산까지 불리는 재미도 느낄 수 있습니다. 저 역시 어느 순간이 되면 배당금으로만 TQQQ와 SOXL 수량을 늘려나갈 계획입니다.

레버리지 ETF 풍차 돌리기

고금리 시대가 찾아오면 '풍차 돌리기 재테크'가 유행하곤 합니다. 적금에 관심이 없더라도 풍차 돌리기 원리는 기억해두면 좋습니다. 풍차 돌리기란 매달 하나씩 적금 통장을 늘려가는 방식입니다. 예를 들어, 1월부터 적금 풍차 돌리기를 시작한다면, '1월 적금'이라는 이름으로 통장을 개설한 뒤 10만 원을 담습니다. 2월이 되면 '2월 통장'을 개설한 뒤 10만 원을 담고, '1월 통장'에도 10만 원을 추가 납입합니다. 즉, 2월에 납입해야 하는 돈은 총 20만 원인 셈이죠. 3월이 되면 '3월 통장'을 개설한 뒤 10만 원을 담습니다. '1월 통장'과 '2월 통장'에도 10만 원씩 추가로 담아야 하니 3월에는 30만 원이 필요하겠죠. 이렇게 매월 통장을 하나씩 늘려가다 보면 12월에는 총 12개의 통장이 생기고 필요한 자금은 총 120만 원이 됩니다.

이와 같이 1회 납입액을 10만 원으로 설정했다면, 12월이 됐을 때 '1월 통장'에는 120만 원, '2월 통장'에는 110만 원, '3월 통장'에는 100만 원이 각각 담겨 있을 겁니다. 다음 해 1월이 되면 '1월 통장' 만기일이 찾아와 원금 120만 원과 이자를 함께 돌려받습니다. 2월이 되면 마찬가지로 '2월 통장' 만기일이 찾아오겠죠. 이처럼 풍차가 돌아가듯 매달 120만 원과 이자를 꾸준히 받게 되는 원리를 풍차 돌리기라고 합니다. 매달 원금과 이자를 합친 현금흐름을 만드는 재미를 느끼면서 실질적인 돈까지 모을 수 있는 방법인 것이죠. 적금 통장이 1개뿐이라면 약정 이자를 한 푼도 받지 못하고 중도 해지해야만 하는 상황이 발생했을 때 유연하게 대처하기 어렵습니다. 그러나 적금 풍차 돌리기는 다릅니다. 갑자기 목돈이 필요한 상황이 발생하면 12개의 통장 중 필요한 만큼의 적금만 깨고 나머지는 그대로 유지할 수 있습니다.

레버리지 ETF에 투자할 때도 비슷한 원리를 적용할 수 있습니다. 다른 점이 있다면 '매달'이 아니라 '매년' 계좌를 하나씩 만드는 겁니다. 헷갈리지 않도록 그 계좌 이름을 '해당 연도(5년 후 연도)'로 설정하고, 부담되지 않을 정도의 금액을 입금합니다. 계좌명에서 괄호 안에 적힌 연도는 계좌를 열어야 할 시기로, 저는 수익을 본격적으로 얻을 수 있는 '5년 후'로 잡았습니다. 매년 100만 원씩 꾸준히 넣겠다는 목표로 2023년 계좌를 개설했다고 가정해보겠습니다. 그리고 TQQQ 또는 SOXL을 매수하겠습니다. 길게 보고 가는 것이니 적당히 마음에 드는 시점에 매수하면 됩니다. 2024년이 되면 마찬가지로 계좌를 개설한 뒤 100만 원을 투자합니다. 이렇게 매년 계좌를 하나씩 늘려나가는 거죠.

5년이 흘렀다고 가정하고 2023년에 개설한 '2023년(2028년)' 계좌를 열어보겠습니다. 5년간 묻어둔 계좌가 원금보다 크다면 원하는 만큼 매도해 SCHD 수량을 늘리고, 손실 중이라면 매도를 다음 해로 미룹니다. 확률적으로는 5년 동안 묻어둔 계좌가 수익을 내고 있을 가능성이 훨씬 높습니다. 매년 이러한 방식으로 투자를 이어간다면 SCHD 수량을 늘릴 수 있는 좋은 전략이 될 수 있습니다.

적금 풍차 돌리기는 1년 후부터, 레버리지 ETF 풍차 돌리는 5년 후부터 수확을 얻을 수 있습니다. 더 오래 기다리는 만큼 적금 이자와는 비교할 수 없을 정도로 많은 수익을 기대할 수 있습니다. 다만 우리 목표는 배당연금 파이프라인을 만드는 겁니다. 3배 레버리지 ETF로 수익을 내겠다는 욕심으로 목표를 잊게 된다면 위험에 빠지기 쉽습니다. 목표를 절대로 잊지 마십시오. 레버리지 ETF 풍차 돌리기는 보조 전략 정도로 가볍게 활용하길 바랍니다.

5년 동안 5개 계좌를 개설하고 투자해보며 성공과 실패를 경험해보세요. 첫 번째 계좌가 성공적으로 수익을 냈다면 나머지도 어렵지 않게 투자할 수 있게 될 겁니다. 성공 경험은 용기를 주고, 실패 경험은 교훈을 줍니다. 투자자에게는 반드시 이 2가지 경험이 필요합니다. 직접 투자를 해보고 안 해보고의 차이는 하늘과 땅 차이입니다. 해보지 않고서는 그 마음을 절대로 이해할 수 없습니다. 이론적으로 성공 가능한 일도 심리적 난관에 부딪혀 실패로 끝나는 경우가 종종 생깁니다. 레버리지 ETF처럼 변동성이 큰 투자일수록 더더욱 심리적인 영향이 큽니다. 똑같은 상황이더라도 느끼는 감정의 종류와 크기가 제각각 다르기에, 이것을 이겨낼 수 있을지 없을지는 오로지 자기 자신의 판단으로 알 수 있습니다.

실패를 두려워하지 마십시오. 적은 금액이라도 투자해보십시오. 성공과 실패의 경험이 쌓일수록 자신의 성향을 투영한 투자 전략이 보이고, 보완과 수정을 거듭해 앞으로 나아갈 수 있는 힘을 얻게 될 겁니다.

최고의 투자 기술은
매도하지 않는 것

매수와 매도 타이밍을 알고 싶은 투자자는 셀 수 없이 많습니다. 그에 반해 얼마나 오래 보유할지를 진지하게 고민하는 투자자는 상대적으로 적습니다. 버핏의 스승 벤저민 그레이엄Benjamin Graham 은 투자 수익을 매매가 아닌 보유에서 얻어야 한다고 했습니다. 주식을 산 뒤 계속 쥐고 있으면서 배당금과 장기적 가치 상승에 따른 이익을 챙겨야 한다고 말입니다. 하지만 개인 투자자는 그레이엄의 조언과 대부분 반대로 행동합니다. 사고파는 과정을 반복해야 큰 수익을 챙길 수 있다고 믿기 때문이죠. 시세차익으로 개인 투자자 가 성공할 확률이 높다면 굳이 일반 대중 인식에 맞서 목소리를 낼 이유가 없습니다. 다수의 생각을 따르는 게 가장 안전한 선택일지 도 모르죠. 다만 개인 투자자가 매수와 매도로 수익을 내며 주식시장에서 살아남을 확률은 극히 희박합니다. 군중심리에 휩쓸리면 성공 가능성은 0퍼센트에 수렴합니다.

매도의 중요성을 강조할 때 흔히 "매수는 기술이고, 매도는 예술이다"라고 말합니다. 그런데 배당연금은 매도 없이도 충분히 안정적으로 만들어나갈 수 있습니다. 제가 생각하는 최고의 투자 기술은 저점 매수와 고점 매도가 아닙니다. 바로 보유입니다. 복잡한 투자법이 더 큰 수익을 창출할 것이라는 생각은 어디까지나 착각입니다. 오랜 시간 흔들림 없이 투자를 이어나가기 위해서는 원칙과 전략이 단순해야 합니다. 배당연금은 단 2가지만 기억하고 충실히 따르면 됩니다.

① 평생 모아가기
② 평생 보유하기

배당 성장 ETF로 탄탄한 배당연금 파이프라인을 만들면 오래 보유할 수 있습니다. 덩달아 배당 수익은 급격히 증가하고, 매도 시점을 고민할 필요도 없어집니다. 그저 마음 편히 보유하면서 평생에 걸쳐 배당연금을 받으면 됩니다. 다시 한번 강조합니다. 배당연금 투자는 단기 투자도 장기 투자도 아닌, '평생 투자'라는 점을 절대로 잊지 마십시오. 이것이 제가 마지막으로 드리고 싶은 당부입니다.

연 3퍼센트의 배당 수익을 하찮게 바라보는 사람들이 많습니다. 주가 상승으로 단 하루 만에 얻을 수 있는 수익을 1년에 걸쳐 천천히 만들어내는 걸 답답한 시선으로 바라보죠. 그럴수록 저는 안도감이 듭니다. 치열하게 경쟁할 필요가 없는 안전한 투자 전략이라는 확신이 더욱 커지기 때문입니다. 단거리 육상 선수는 100미터를 9초대로 달리지만, 마라톤 선수는 100미터를 평균 17초대로 달립니다. 여기서 염두에 두어야 하는 건 서로 목표 지점이 다르다는 겁니다. 단거리 선수는 100미터 완주가 목표지만, 마라톤 선수의 목표는 42.195킬로미터 완주입니다. 배당연금 투자자는 마라톤 선수와 비슷합니다. 우리는 느리게 달리는 투자자가 아닙니다. 정확히 말하자면, 목표 지점이 멀리 있다는 것을 인지하고 완주를 위해 속도를 조절하고 있는 현명한 투자자입니다.

당신이 생각하는 목표 지점이 100미터가 아니라면 정신없이 달려나가는 사람들을 보면서 초조해할 필요가 없습니다. 그들 중 대다수는 남들이 빠르게 뛰는 것을 보고 동요해서 함께 뛰고 있는 사람들입니다. 목표 지점이 얼마나 멀리 있는지도 모른 채 성급히 달려나가다 보면 중도 포기하기 쉽습니다. 우보천리牛步千里라는 말이 있습니다. 소의 걸음으로 천 리를 간다는 뜻입니다. 서두르지 않고 천천히 걷지만 한참 지나고 나서 보면 당신만큼 멀리 걸어온 사람은 없을 겁니다. 그때가 되면 모두가 눈덩이처럼 불어난 배당연금을 보며 당신을 부러워할 겁니다.

시간이 흐를수록 점점 더 가치 있게 빛날 당신의 미래를 응원합니다. 저는 당신의 마라톤 여정을 함께하는 페이스메이커가 되겠습니다. 마음이 흔들릴 때마다 언제든 이곳으로 찾아와주십시오.

잠든 사이 돈이 불어나는 평생 복리의 마법

최강의 배당연금 투자

1판 1쇄 인쇄 2023년 4월 26일
1판 4쇄 발행 2024년 3월 20일

지은이 배당연금술사
펴낸이 김선우

책임편집 진다영 | **편집** 조형애 | **디자인** 최예슬
제작 퍼블리언스

펴낸곳 헤리티지북스
출판등록 2022년 9월 15일 제2022-000244호
주소 서울시 마포구 양화로 78-22 3층
이메일 heritagebooks.rights@gmail.com